文春文庫

信長の棺

上

加藤廣

文藝春秋

信長の棺　上巻　**目次**

信長の棺　下巻　**目次**

信長の棺

上巻

第一章　安土脱出

1

明け方まで続いた風雨がおさまると、久しぶりの梅雨晴れとなった。陽が昇り、城の回廊の鉄格子窓から差し込む日照が強くなってきた。日脚《ひあし》から見て辰《たつ》の下刻《げこく》（九時）過ぎであろう。

（信長さまがご上洛されて、はや二日。お約束のお使いの到来は今日か、明日――）

今朝の登城から太田信定《のぶさだ》（後の太田牛一）は密命待機の姿勢に入った。年甲斐もなく気持ちの高ぶりを止められない。
城の「七曲《ななま》がり道」沿いの拝領屋敷に駆け戻れば、飛び出す準備は万端整っている。京までの若干の路銀、最小限の着替え、物書きに生きる信定の必需品である筆、矢立《やたて》、備忘用の紙の束類は、すべて新しい物と取り替えてある。万全を期して、小袖《こそで》、肩衣《かたぎぬ》、袴《はかま》の三つ組も加えた。後はお預かりした、あの木箱を書庫から持ち出し、馬の背にくくり付けるだけだ。

（それにしても不思議なお預かり物をしたものよ）

つくづくそう思う。

あれは――ご出立の前夜、五月二十八日のことだった。

「そなたに、あれなる物を預け置く。こたびの事、決まれば即刻、早馬にて伝える。直ちに持参の上、京へ駆けつけよ。委細は貞勝《さだかつ》（京都所司代・村井貞勝）に聞くがよい。すべての事、他言無用ぞ」

信長さまは、天守六重目（一階）の内向き対面座敷に自分一人を召されると、小姓衆一切を遠ざけられた上で命じられた。

ご指示は、相変わらず前置き抜きの簡明直截《かんめいちよくせつ》。余計な言葉の飾りもない。だが、日ごろのかん高いお声ではなかった。珍しく声をひそめられた。さらにお側近くに召されて、耳元で囁《ささや》かれたのは、思いがけない信長さまの、こたびの上洛の目的だった。

（そこまでのご深慮の上で、この安土城をお作りになったのか）

今こうして思い出しても、胸が熱くなる。

驚愕する信定を無視されたまま、信長さまは座敷の隅に積まれた「あれ」なる物を指さされた。そして一言「よいな又介《またすけ》」と珍しく念を押されると、さっと、そのまま奥へ消えられた。

後に残ったのは、一見したところ大工の道具箱と見間違いそうな檜《ひのき》材の長方形の箱が五つ。鉄鋲で厳重に封印されていた。恐ろしく重かった。

信長さまは、内容についてはなにも言われなかった。

昔、弓衆として鳴らした信定は、五十歳を過ぎた今も、腕力には自信がある。それでも一度に持てるのは、二つまでだった。

「他言無用ぞ」と言われる以上は他人の手を借りるわけにもいかず、また馬にのせて城内から持ち出すのでは人目に付きやすい。

考えた末、その夜のうちに、一つずつ抱えて屋敷に持ち帰った。一つが五貫目、いや六貫目はあろう。書類でも持ち運ぶように何げない風を装うには、かなりの芸が要《い》った。

今は自邸の石積みの書庫の書架の隙間に、掃除道具などと一緒に、古胴着にくるまれて眠っている。

なに、上洛までのほんの数日のことだ。厳重保管しては、すぐに運び出せなくなる。自邸の書庫には中間《ちゅうげん》、下男下女のいずれにも立ち入りを堅く禁じているから、案外このほうが安全だろうと独りで合点している。

信定は、天守三重目（四階）の書庫から用部屋に戻ると、借り出してきた古文書を書机に置いた。

安土城の天守は飾りではない。信長さまを始めとして、側近、家臣に至るまで居住する実用を兼ねている。信定の用部屋は、信長さまの二階上（三階）の北側の十二畳である。北側を選んだのは、日照で書類が褪《あ》せないためである。

ふと耳を澄ます。どこからともなく馬蹄《ばてい》の響きが近づいて来た。

一瞬、緊張した。まさかこれほど早く、京の使いが来るわけもあるまいとは思ったが、念のために地階まで降りてみた。

武者走りの階段の上からそっと下を覗く。

やはり信長さまからではなかった。近づいた騎馬の旗竿と、打《ぶ》っ裂羽織《さきばお》りの紋章から、安土城に隣接する観音寺城からの使者の到来と判った。

観音寺城の佐々木一族は、最近になって城主の義秀を亡くし、葬儀を済ませたばかりである。幼少の遺子を守《も》りたてるために、主な旗頭から織田家を頼って、最近なにかと相談の使者をよこす。

この日の使者が、なぜか、ひどく急いでいる様子が気になった程度で、別に奇とするほどのことはないようだ。

信定は、自分の用部屋に立ち戻った。

太田信定は、今は武辺《ぶへん》で生きる身ではない。

全国に展開した諸将からの戦況報告を受け、また信長さまの諸々のご指令を発する事務方を司る裏方役に徹している。信長さまが不在とあっても、のんびりしてはいられない。

織田軍の戦線が、東に西に、また北部へと拡大すると共に、報告書に各地各様の暦が混用され始めた。指令と報告の間はもとより、報告間にも色々と暦日の矛盾が起きている。地名の間違いも随所にある。信長さまから、自分に回す前に再吟味せよとのきついお達しが出ている。

こたびの上洛に続いて、羽柴秀吉率いる毛利戦線へと信長さまが向かわれる間に、手直しせねばならない書類が山ほどある。

それにしても——。

この日の観音寺城からの使者と、その後の城内の動きは、妙に気になった。嫌な予感がする。

どうやら、お留守居役筆頭・津田源十郎他の重臣たちは、使者を天守五重目（二階）の対面座敷に招じ入れた模様だ。

しばらく彼らだけの密議が続いたようだが、四半刻《しはんとき》（三十分）もたたぬうちに、慌ただしく二の丸在番の留守居役・蒲生右兵衛賢秀《がもううひょうえかたひで》まで呼び寄せたのは意外だった。日ごろ津田源十郎は、尾張直参を笠《かさ》に、留守居中の密議に新参の近江《おうみ》衆である賢秀を呼ぶことはなかった。たかが二の丸の女子供のお守り役ではないかと、あからさまに馬鹿にしていたのだが……。なにかおかしい。

それから半刻（一時間）あまりの静寂を破って、どこからともなく人の動きとざわめきが、山津波のように大きくうねり始めた。

やがてそれは、妙な耳語《じご》となり、隙間風のように信定の耳にまで伝わった。

「惟任《これとう》（明智光秀）ご謀反《むほん》」

「お屋形さま（織田信長）宿所・本能寺炎上中」

信定は、一笑に付した。（またか）と思った。

越中戦線が動き出した最初の頃も、信長さまの甲斐攻めに対し、武田勝頼が「信長死せり」の流言を放ち、越中の一揆を誘って織田軍の勢力を削《さ》こうとしたことがある。北陸方面軍の将・柴田勝家からの慌ただしい確認の使いは、信長さまに一喝され、ほうほうの体で引き下がった。流言蜚語《ひご》は茶飯事の御時世であるが、さすが柴田勝家からの誤報騒動となると、この事件は、ひとしきり安土城の酒宴の酒の肴《さかな》になった。

信定は、しばらく執務に集中しようとしたが、騒ぎは益々大きくなるばかりだった。

（仕方がない）

いま一度、様子を見に出よう……と思った矢先に若侍が一人、襖《ふすま》の陰に顔を見せた。

二の丸の蒲生賢秀と共に日野城から来た小姓の一人。

確か朽木《くつき》某と言ったはずだ。近江・朽木谷あたりの出身だろう。名門の生まれか、女に見まごうばかりの美貌の持ち主。来る早々から賢秀の寵童《ちようどう》と噂されていた。

型どおりに伺候《しこう》しかけるのを止め、

「火急のことであろう。改めずともよい。そのままに急ぎ申せ」

信定は叫んだ。

小姓は、「では」と、素早く胸の懐紙《かいし》を取り出し、無言のうちに捧げ持った。

手早く開く。と――

ぼんさんにておまちまうす
うひやうゑ

とある。蒲生賢秀の直筆のようだ。が、名筆のはずの賢秀の筆先が尋常でなかった。まるで蚯蚓《みみず》の、のたくったような水茎《みずぐき》。それも仮名書きばかりであった。異変の耳語はこれで明白と思った。

「承知」

応えるや否や、信定は脱兎のごとく本丸を飛び出した。

途中で小走りに右往左往する茶坊主とすれ違った。日ごろは礼儀正しい茶坊主たちが、頭を下げるのも忘れたように、顔を引きつらせ、縋《すが》るような目で信定の行く手を追っていたが、すべて無視した。

本丸を出て、城の西側の「百々橋口《どどばし》」を夢中で駆け降りる。

日ごろの鍛練の賜物《たまもの》か、まだ息切れ一つすることはない。

「ぼんさん（盆山）」とは、信長さまが創建された捴見寺《そうけんじ》の中にある奇妙な御本尊のことである。寺の一番高いところにある建物の中に安置されている。この立ち入り禁止の場所を選んだのは、誰にも聞こえぬ場所で話したいという意味だろう。

捴見寺は、本堂や庫裡《くり》だけでなく、山門・三重塔・鐘楼堂《しょうろうどう》などのいわゆる七堂伽《が》藍《らん》を備えた本格的な寺院である。

探すのにちょっとやっかいかも知れぬと思った。

だが、それは杞憂《きゆう》だった。山門の長い階段を駆け上っていくと、前方に白い長範《ちょうはん》頭巾《ずきん》を被った長身の男が、従者もつれずに一人じっと下を見ていた。

「火急のこととて、お呼び出し失礼つかまつった」

近づくと、やおら頭巾を取り、賢秀のほうから先に軽く目礼した。

信長さまに直仕する信定には指示はできないと思ったのか、必要以上に礼を尽くした言葉遣《づか》いだった。

蒲生右兵衛賢秀。信長さまと同い年の四十九歳。自分より七歳下である。旧近江守護の佐々木（六角）氏の臣だったが、信長さまの近江進出に際して、いち早く織田方に味方を決め、父祖以来の近江蒲生郡の知行安堵《あんど》を受けた。

当初は蒲生郡長光寺城を預けられた柴田勝家の寄騎《よりき》の身分だったが、天正三年に寄親《よりおや》の勝家が越前に移封された後も近江に留まり、以後、日野城主として独立軍団を形成している。

誠実、信義の人として定評があり、信長さまは、ご自分の不在の折りは、好んで賢秀を留守居役に起用された。しかし、出身の序列上から連枝《れんし》衆の津田源十郎の下位に甘んじている。

賢秀の顔は異様に青ざめていた。

「やはり、お噂は……」

事実でござるか……と言いかけて信定は不意に喉が詰まった。

賢秀は懐中から手紙らしい巻紙を取り出すと信定に渡した。

「ご覧あれ」

差し出す手が、震えていた。

「拝見つかまつる」

辛《かろ》うじて言葉を絞り出した。

差出人は、隣接する観音寺城の在京の旗頭・堀伊賀守。顔見知りの武将である。

読み進むほどに自分の顔から血の気が引くのが解った。嘘偽りを言ってくる男の手紙ではない。

「なんとした事ぞ！」

衝撃が走る。叫んだ瞬間、くらくらっと目眩《めまい》に襲われた。

「やはり、お屋形さま、ご落命なされたと勘考《かんこう》すべきや」

賢秀は、待ち切れぬように信定の顔を覗き込んだ。

「相手は戦《いくさ》上手の日州《にっしゅう》（光秀の称）。それも万余の兵で囲む以上、お屋形さまを討ち漏らすこと、万に一つも……」

（ござるまい）と言いかけて、喉に苦い玉のようなものがせり上がって、再び声が出ない。

「やはり、そう思われるか……そうであろうの」

賢秀は肩を落とすと静かに数歩退き、くるりと背を向けた。

後ろから見てもはっきり判る。肩が震えていた。

賢秀は泣いているのだ。

見ている信定も、こらえ切れなくなった。涙が止まらなかった。

悲しいというよりも悔《くや》しかった。

「天下布武」の志半ばにして、なぜなのだ、なぜなのだと、赤子がむずかるように自問を続けた。

だが……誰が答えられようか。

時が止まった。二人はいつまでも動かなかった。

やがて――。

「ご覧あれ」

賢秀が気を取り直したように「七曲がり道」の方向を指さした。

城に近い上部から下へと、序列に従って家臣団の屋敷が続いている。その上部の一角から、人や家財が、蟻《あり》のようにぞろぞろと出ていくのが見えた。

「火事の前に消える鼠《ねずみ》と同じよ。拙者如きに、御連枝衆は、この大事を知らせる伊賀守の手紙まで放り出して逃げられたわ」

賢秀は、皮肉交じりに嘆息した。

御連枝衆は、みな尾張出身。征服したはずの近江衆に《尾張衆は意気地なし》と、同朋をけなされたも同然の言葉である。

だが、目の前の醜態には返す言葉がない。その元気も今はなかった。

「どうやら、火まで放ったらしいの」

やや下のほうの自分の屋敷の近くだった。二の丸があってよく見通せないが、煙が立ちのぼってきた。

信定はぎょっとした。自分の屋敷が火事で焼けることは考えてもいなかった。あの木箱を置く石積み書庫は耐火性だが、それでもどのくらいの間、熱に耐えられるか、信定は自信がない。

「だが、あれは恐らく志摩守《しまのかみ》の屋敷でござろうよ。こちらは近江衆。やれやれ、尾張衆のことは言えぬな。さきほどの観音寺の使者との密談中も、志摩守は心ここにあらずの様子だったが、やはり裏切るのか。近江の仲間の恥さらしめ。情けないわ。だが、この風の向きから判断しても、太田殿の住まいへの類焼はござるまい。ご安心めされよ」

山崎志摩守。近江犬上郡山崎城主であり、津田源十郎に次ぐ留守居大将の一人である。愚かにも自邸に火を付けたらしい。

これで賢秀の上位留守居役は、ことごとく消えた。ここからの非常事態への対応判断は、すべて賢秀一人の双肩にかかるわけである。

「で、拙者へのご用の趣《おもむき》は」

信定は改めて訊《たず》ねた。

「されば……でござるよ」

慌てず騒がず、賢秀はすでに取った処置を明らかにした。

「まずは二の丸の女衆（信長の正・妾室、息女、乳母）を拙者の城へと無事脱出させまする。日野で留守居する我が愚息の氏郷《うじさと》が、乗物五十丁、鞍付き馬百匹、伝馬二百匹をすでに手配した。明日早朝の出立となろう」

安土からおよそ東南へ六里。ということは、安土城より早く、明智軍を迎える可能性もある。当然、籠城は覚悟の上だろう。

「だが、明智が事はご心配めされるな。勢多《せた》（瀬田）橋は間もなく勢多城の山岡殿によって切り落とされよう。光秀めが修理して渡れるようになるのは、早くて五日。明日三日の早朝、ここ安土を退城すれば、なんとか日野への入城は間に合うと踏んでいる。それより安土城の処置よ。そこで太田氏のご意見を内密に承《うけたまわ》りたいのじゃが」

賢秀は真剣なまなざしで訊《き》いた。

「この城は、全く戦《いくさ》には向き申しませぬ」

日ごろから考えてきたことだから、信定はすらすら答えられる。

「理由は二つ。まずは大手道の幅の広さ。これでは防御や籠城は全くできませぬ。

それに、あの天守。四層に亙《わた》る天守内部の吹き抜けも、防備には至って難儀なものか、と心得ます」

一気に見通しを述べた。

「いずれも同感じゃ。こたび、お留守を預かって、拙者も初めて知った。殊にあの天守、ただただ驚きの構造じゃ。唐天竺にも、このような見事な作りはござるまい。だが、籠城は別じゃ。これではいざ戦闘となれば、地層に火を放たれれば、あっという間に、天守は地獄のような火の塔と化するわ」

「御意《ぎょい》にございます」

さすが的確な判断だ、と信定は思った。

「それに、この城の武器、弾薬じゃ。三の丸下に小さな煙硝蔵《えんしょうぐら》があるが、武器については二の丸留守居役に過ぎぬ拙者にはどこにあるのか、とんと教えてはいただけぬらしい。三七郎殿（信長三男）も、ここを発たれる時に、あちこち探しておられたようだが」

目に探るような光りがあった。

三七郎こと織田信孝《のぶたか》は、父の上洛の前々日（五月二十七日）、ここ安土城経由で四国征伐に出発した。が、まるで花見か能見物に行くような華美な出立《いでた》ちだった。

部下は部下で、この馬鹿殿を放り出して、出立の直前まで真昼の泥棒のように安土城の武器弾薬を持ち出そうと捜し続けた。だが、どこからも武器は出てこなかった。

「天守にも本丸にも、もちろん二の丸にも、武器は一切ございませぬ」

信定は断言した。

「ほおう。ということは、全くの無防備の城という意味かの」

「いえ」と言って信定は、じっと賢秀を見つめた。

(どこまで本当のことを言うべきか)

万一、明智方に寝返られたらと、一瞬だが迷った。が、事ここに至れば、この男を信じるしかあるまいと観念した。

「大量の武器、弾薬は黒金《くろがね》門下の信忠卿屋敷と大手道の脇に広がる羽柴屋敷の地下にございます。主力の火器は羽柴屋敷の、あの二段になっている厩《うまや》、武者溜まりの石壁の中に、大手道に向けて並べてござります。今も……恐らくそのままでございましょう」

「それで判った。羽柴殿のお屋敷だけ飛び抜けて広く、しかも二段構えになっていた意味が。あれは、大仰好きの羽柴殿の好みとばかり思っていたわ。いやはや恐れ入ったお屋形さまの深慮遠謀よの」

賢秀は、心底から感服の様子だった。

「で、どうなされます。そこに大量の武器弾薬があれば蒲生殿は、お考えを改めて、ここで戦われまするか」

信定は固唾《かたず》を呑んで、賢秀の反応を見守った。

賢秀はあっさりと、かぶりを振った。

「なんの、なんの、その気さらさらござらぬ。戦おうにも、ご覧の通り、将も兵も続々と消えてますわい。浮足立った兵は役に立たぬ。それより天守じゃ。これは京の金閣、銀閣に比すべき見事な芸術品。愚かな戦禍の犠牲にしたくはござらぬ。無傷のまま残したい。このまま明け渡すつもりじゃ。惟任殿も文の道にご理解あるお方じゃ。この城の価値はお解りだろう。お屋形さまの残された金銀財宝も、いずれにあるかは、よく知らぬがことごとく残す。負け惜しみのようだが、城を無事に残すための馳走《ちそう》よ。餌《え》よ。ただ、太田殿の明かされた秘密の武器弾薬の在り処《あか》だけは、口が裂けても言わぬと約束しよう」

「それを聞いて安堵いたしました。で、お呼び出しは、それだけでございますか」

こうなれば、すぐ立ち戻って重要な書類を纏《まと》め、安全な場所に退避させるか、光秀に見せたくない書類は焼き捨てなければならない。

ことに、四月に始まった三河殿（徳川家康）関係の内部書類、これに前後する高松城攻めの羽柴殿との間に信長さまが交わされた往復書簡類は、関係者である光秀に見せずに闇に葬らねばならない。

「実は、も一つある。これは、あくまで拙者の一存じゃが……」

賢秀は苦し気に続けた。

「もはや、頼れるのは蒲生殿お一人。なんなりと仰《おっしゃ》ってくだされませ」

信定は正直に思ったままを言った。

「太田殿、いかがでござろう。ここを抜け出して北庄《きたのしょう》（福井）に行ってはくださるまいか」

思ってもみない申し出だった。

「そして、一刻も早く修理亮《しゅりのすけ》殿（柴田勝家）に、越中より軍を退かれ、反転してお屋形さまのご無念を晴らして下さるようお願いしてくれぬか。織田家中の筆頭であり、かかる事態になった後、織田家をまとめられるお方は修理亮殿を措《お》いて他にはあるまいと、拙者は存念している。太田殿の説得なら必ず動いて下さるに相違ない」

賢秀は、丁重な言葉を選ぶようにして、北庄行きを懇望した。

北国在番の柴田勝家は、信定が若い頃に一時だが家臣（足軽）として仕えたことがある。今も配下には、知己が多い。そんな事情を賢秀は推察したのであろう。

もちろん大恩ある織田家のためとあらば一肌脱ぐのに、やぶさかでなかった。信孝は、頼みの秀吉は、はるか遠い備中・高松。尾張、美濃衆は今のていたらくだ。信孝は、一万四千の大軍を擁して、ここから一番近い堺にいるはずだが、あの軽薄さでは、とうてい光秀の相手にはなるまい。戦えば織田家の恥の上塗りとなろう。

となると、残る選択肢は、確かに柴田勝家ただ一人になる。

だが、北庄へ出立となれば、その前に――。

賢秀には言えないが、信定にはやっておかねばならないことが、城の残務整理の他に二つあった。

一つは自分が、永禄十一年に側近としてお仕えして以来、営々と、今もつけている『安土日記』と昔の『岐阜日記』の保全である。

信定は、生来《せいらい》の筆まめだった。

信定は側近になった頃から、自邸に戻ると、その日のうちに毎日の城内の動き、信長さま始め武将たちの行動や言葉を、思い出すままに克明に綴り続けてきた。これを月毎に綴《と》じ分けしており、側近に転じて以来十四年有余。今では百数十冊に及ぶ膨大な量になっている。

（いずれ、これは信長さまに関する貴重な史料になる）

信定は確信していた。それだけに、これを城と運命を共にさせたくなかった。どこか安全な隠し場所を探さねばならない。

それと、もう一つ――。

いうまでもなく、あのお預かりした五つの木箱の処置。預け主が亡くなったとはいえ、織田家の家督が定まるまでは、滅多《めった》な者には渡せない。だが、重い物だけに保管がやっかいだった。

城内の書類の処分と、自分の二つの仕事の段取りをつけるのに最低二日は必要と踏んだ。

「いかがでござろう」

賢秀は訴えるような目で促《うなが》してきた。

籠城は、援軍の到来への期待がなくては、部下の士気は保てない。賢秀の気持ちは痛いほど解った。

だが、ここで下手な約束はできない。

「もとより承知と申し上げたいが……」

信定は、しばらくためらった末に言った。

「一両日のご猶予を願えましょうか。立つ鳥跡を濁さずとか。ここにある信長さまの書類などに、機密に亙る物も数多くありますれば、その処分に時をお貸し戴きたい。勿論、光秀の到来までには必ずここを脱出し、柴田殿の元へ」

半ば嘘、半ば本当の気持ちで信定は答えた。

「なるほど。なに、二日や三日の遅れはなんともござらぬ。勝手知ったる自城での籠城なれば、たとえ相手が戦上手の惟任であろうと、十日や二十日、いや一月ぐらいは、この手で持ちこたえてみせましょうぞ。では、柴田さまによしなに。さらばじゃ、太田氏」

賢秀は、深々と一礼すると、足早に、盆山を後にした。

2

信定は、一人になると、不意に全身の力が抜けた。ぞっと心にまで震えがくる。

やっとの思いで信定邸の北側から「七曲がり道」へと出た。

賢秀の言った通り、焼失したのは山崎志摩守の屋敷だけだった。付近の尾張衆、美濃衆の逃亡はまだ続いており、「七曲がり道」は人馬の喧噪《けんそう》で混乱していた。

「七曲がり道」は、その名の如く、細い道がくねくねと山腹を這《は》い、琵琶湖の水路にも繋《つな》がっている。

信定の屋敷は、道のほぼ中間にあり、入口が四足門、それに続く塀は生垣という簡素な造りである。三百坪の敷地に玄関、六畳・六畳・八畳・十畳・土間・台所・風呂場・便所・馬小屋……といった中級武士の構えであった。

所領は表高《おもてだか》五十貫程度だが、特別な職柄故《しょくへいゆえ》、軍役を免除されており、多くの下人《げにん》を抱えておく必要がない。外部の記録作りの手伝いの謝礼などの別途の実入りも多く、内実は比較的余裕がある。

自製の書庫は、屋敷の北側の日陰に石積みで建てたもので、およそ四畳の広さ。永年の日記帳と、例の木箱はこの中にある。

家族はない。妻に早く死なれ、二人の子息――嫡子《ちゃくし》の小又助に次男の又七の二人は、養育を清洲《きよす》に住む妻の妹に任せた。晩婚だった関係で、まだ元服前である。

信定は、まず下男と下女を呼び、若干の銭を与えて暇を出した。すべて地元の近江者である。

既に信長さまの異変は、本能寺からばらばら駆け戻ってくる女中や下男たちを通じて熟知していた。

一刻も早くこの城を逃げたい者ばかりだったから、事は支障なく運んだ。

残ったのは中間《ちゆうげん》男の親子二人。名を直助と小弥太といった。

直助は元甲賀の忍び衆である。右手を鉄炮で負傷してから武器を操ることができなくなり、忍びから身を引いた。

身代わりのように、懸命に小弥太を仕込んできた。

小弥太は十六歳。すでに背丈は父の直助を抜く偉丈夫《いじようふ》に成長した利発な若者である。向上心の強い子で、信定の許しを得て、書庫の蔵書から「六韜《りくとう》」「三略《さんりやく》」「孫《そん》子《し》」などの武経七書を借り出しては独学で読んでいるような子だった。

信定も自分の子以上に目を掛けてやってきた。

二人を八畳の書斎に招き寄せると「さて……」と二人を交互に見回しながら、木箱の始末について自分の考えを告げた。

信長さまから預かった木箱が、この一両日中に、指令のあり次第、京にお届けする手筈《てはず》になっていたことは、馬の準備と手入れの関係ですでに話してある。だが、肝心の預け主が亡くなられ、今は宙に浮いてしまった。

「今は主なき物となったが、織田家の後継ぎが誰になるかが決まるまでは、拙者、どなたにもお返し致さぬ所存。預かっていることすら明かさぬ。そなたらも、よく心しておけ」

親子は黙って緊張の面持ちで頷《うなず》いた。

「それゆえ、明智軍の襲来前、この一両日中に、ここから更に安全な場所へと移すつもりじゃ。そなたら二人に是非とも手伝うてもらいたいのだが、どうじゃな」

「殿の仰せに従いまする」

一斉に口を揃えて答えた。

「そうか、やってくれるか」

ほっとした。一人では手に負えない重量だ。かといって、見ず知らずの者に頼んで妙な野心を起こされても困る。

内容は判らないが、容量と重さから判断して、恐らく相当な量の分銅金《ふんどうきん》ではないか、と信定はひそかに想像している。

預ける場所は、まだ心に秘めて明かさない。二人も余計なことは一切訊かなかった。

「だが、この大仕事の前に、も一つ頼みがある。書庫にある拙者の日記と集めた史料、そして稀覯本《きこうぼん》。これをいずれかに預けたい。こちらは拙者には貴重な物だが、世間的に狙われるほどの品ではない故、この辺りの寺でよかろう。そうだな、安土田中の貞安《ていあん》長老にお頼みしようか。あの寺なら、辺りは一面の水田。万一、城が焼けても、城との距離から考えて飛び火はあるまい」

貞安長老は、三年前の五月に安土浄厳院で行われた安土宗論《しゅうろん》の浄土宗側の論者の一人、聖誉《せいよ》貞安。地元西光寺の住職である。

法華宗は、当時、戦闘的な宗派で、論敵打破を得意とした。

戦うということに不慣れな浄土宗側は、織田家に泣きついた。

信長さまの命令で、信定は想定される法華宗側の論点を纏《まと》め、反論の論旨を問答集の形にして事前に渡しておいた。

この即席の入れ知恵の助けで、貞安は論争に辛勝した。

以後、貞安は、織田家の恩を多とし、信定に心服している。頼み事は二つ返事で引き受けてくれるだろう。

信定は二人に手伝わせて、大きな桐箱二つに油紙を敷き詰め、さらにその内側に柿渋を塗った紙を広げ、日記、史料、稀覯本《きこうぼん》の順に詰めた。もし開かれても、上の稀覯本だけ持ち去られるだけだろう。下にある日記まで手がつけられないことを願っての工夫だ。

最後に、書斎を見回して、棚にあった信長さま拝領の茶壺入りのコンフェイト（金平糖）を加えた。容器が割れないように何重にも古着で巻いておいた。

その日の明るいうちに、木箱は小弥太に荷車を引かせて、西光寺に運び入れるつもりだった。

用意万端整ったところに、思わぬ来客があった。

木村次郎左衛門。安土城の天守を担当した普請《ふしん》奉行である。日ごろの日焼けした顔が、どす黒い。傷心の体《てい》だった。

慌ただしく書斎に通す。

聞けば、あの後、賢秀は、自分の去った明日以降の安土城を、次郎左衛門に託すことにしたのだという。信定と賢秀の、さきほどの《天守美術論》のお鉢が現場の製作責任者に回ったようなもので、信定にはすこし心苦しかった。

城に残ることは、死を意味する可能性が高い。

しかし、次郎左衛門は、自分の立場には、一向に悪びれた様子がなかった。

「ぶしつけな訪問は、拙者事の相談ではござらぬ。又右衛門の行方が気になりましての」

それが心痛のあまり、失礼を顧みず訪問したのだと言った。

岡部又右衛門、通称「大工又右衛門」は、元は尾張熱田神宮に仕えていた宮大工である。安土城の普請に当たって、信長さまが二百貫文で引き抜いたという噂の異能の男だ。

あの天守の独創的な空間構成を作り出した「吹き抜け構造」は、信長さまと又右衛門の二人の合作である。もちろん技術的には、又右衛門一人の独創といってよい。

その男が、こたびの信長さまの上洛に随行を命じられて、六月朔月《さくげつ》（一日）の夜には本能寺に滞在していた。ということは又右衛門は信長さまと共に死んだ可能性が高い。

「なぜ、お屋形さまが又殿を京に連れられたのか、それが拙者には、とんと腑に落ちぬのじゃ」

次郎左衛門は、内心怒っているようだった。

「なぜと申されても……」

信定は言い澱《よど》んだ。

上洛を決められた後で突然、信長さまは随行者に又右衛門を加えられた。小姓だけしか連れていかない、と言っておられた信長さまの変心を、側近たちは訝《いぶか》った。ある者は信長さまの気まぐれと言い、ある者は天守普請の褒美に京見物を許したのだと言った。

どちらも正しくはない。

(又右衛門を連れていったのは、参内《さんだい》にあたって安土城の説明をして差し上げるためで、あの五つの木箱と重大な関連がある。だが、それを、ここで明かすことはできない)

言い澱んだのは、そのせいである。

「又殿は、京の神社、仏閣はおろか、主だった公家や商家の家の造りまで、そらんじる如くに知っている方。今さら京見物などする筈もないし、町方に興味はない。現に拙者には、行きたくないと、しきりにこぼしておられた」

次郎左衛門は言い張った。

「そうでござったか。だが、拙者は久しぶりの京見物を喜んでおられるようにお見受けしたが」

誤魔化しながら、無意識のうちに次郎左衛門の視線を避けている自分に気づいた。

(俺は、嘘をつくのが下手だ)とつくづく思った。

「拙者には、そんな素振りも見せなかったが……」

相手の次郎左衛門は真剣に首をかしげる。これには参った。

「いや、いや、それならそれでよいのじゃ。たまには又殿にも息抜きも必要じゃろうて。しかし、そうなると益々判らぬことがある。京見物に、なぜ大事な『天守指《さし》図《ず》』を持ち出したのかじゃ」

「えっ、あの図面が持ち出されているのか」

信定にも寝耳に水の話だった。書庫を自由に出入りする信定ですら拝見できない門外不出、安土城に一部しかない天守、本丸、二の丸などの極秘の設計図である。

「今日、明智軍の襲来に備えて、設計図面の処置をどうするかで書庫に行って改めて吟味し、初めて知った。上洛直前に又殿が持ち出しておられた。勝手に持ち出したわけではござらぬ。お屋形さまの正式のお指図が出ていた」

となると、又右衛門の京行きは明らかに物見遊山でないことを意味する。

「太田氏は、この辺りの事情、ご存じなのではありませぬか」

次郎左衛門に、にじり寄られ、信定はたじたじとなった。

この時、襖の陰から、小さな声がした。

「殿、お約束の刻限でございますが……」

直助の助け舟だ。

「なにか、お約束がござったのか。それは失礼した」

次郎左衛門は、素直に恐縮して引き下がった。

「なに、ここを引き払うについて、手元の稀覯本などを西光寺にお預けすることにしましてな。貞安長老の所へ参上する約束の刻限という意味でござるよ。なにしろあの長老は日暮れと共に寝るような老人でござればの」

信定は意識して軽い調子でしゃべった。

「そうですか、西光寺に書類を預けられるのか」

しばらく考えていたが、意を決したように向き直ると、次郎左衛門は、改まった口調になった。

「では、どうでござろう。これなる書類も、すこし嵩《かさ》が張るが、ご一緒にお預け願うわけにはまいらぬであろうか」

十数枚の広幅の紙を広げて、信定に見せた。

「これは、又殿の正式の設計図面ではござらぬが、拙者の手控えた『天守指図』の略図でござる」

略図というが、信定のような門外漢には、素人離れした設計図面そのものに見えるほどの精緻《せいち》な物だった。

「なぜまた、これを拙者に……」

信定は言いかけて、はっとなった。

次郎左衛門が、かすかに頬笑んでいる。その寂しそうな微笑から（次郎左は死ぬ気なのだ）と直感的に覚った。

「あの又殿が持参した設計図面は、おそらく又殿と共に消えたであろう。となれば、拙者のこの図面だけが、又殿の傑作を後世に語る唯一の物となり申そう。このような設計のできる大工は、今後十年、二十年はおろか、五十年、百年、この世に現れることはござるまい。となれば、間もなく死ぬ拙者が持つべき物ではござらぬ。どうでござろう、太田殿、お預かり願うわけには参らぬか。そして、後世に是非とも伝えて欲しいのじゃ。この天正の世に、岡部又右衛門という希有《けう》な大工職人のいたことを……。その設計した七重の天守が蒼穹《そうきゅう》を突いてそびえ立つ凜々《りり》しいものだったことを」

懇願しながら次郎左衛門は、がばとひれ伏した。

肩が震えていた。男泣きに泣いているのが判った。

「承知つかまつった」

信定は、ここで改めて掻《か》い繕《つくろ》った。

「寺に預ける箱の一番下に、もう一段、隠し段を工夫して蔵するとしよう。そして次郎左殿の願い、拙者、神明に誓ってお約束しよう。生きているかぎり大事にして、後の世に末長く伝わるように努めましょうぞ」

信定は、次郎左衛門の震える肩を抱いた。

「だが、早まるでないぞ次郎左。是非もう一度会って、いずれの日にか今夕のことを笑って語り明かそうではないか。のう、次郎左」

不覚にも目頭が潤んだ。

(もしかすると、これが今生の別れ)

いやいや、そんなことはないと、信定は無理に自分に言い聞かせた。

3

翌三日、早朝。

信定は黒金門坂下の信忠邸の柱の陰に隠れ、賢秀の先導する二の丸の女衆の一行を見送った。賢秀の視線は、意識して避けた。

北庄に行くにしても、あの五つの木箱を持ったまま湖東の下街道経由で、そのまま北上することはできない。昨夜じっくり考えた末に道程を吟味した。

（そうなると、二日どころの遅れではなくなる）

この気遅れが別れの挨拶を躊躇させた。

賢秀は、見送りの武士たちの中に、何度も目を遊ばせて自分を探していたようだ。が、ようやく諦めたのか、そのまま進んでいく。

ほっとする間もなく、二の丸の女衆の一行が続いた。

黒金門坂下までは急傾斜のため、全員が徒歩である。

かって濃姫《のうひめ》と呼ばれ、今では「安土殿」と尊称されるお方《かた》さま（ご正室）を初めて垣間見《かいまみ》た。信長さまに一顧だにされることなく、永年、忍従生活を強いられたことで、どうやらお方さまは耐えることに慣れたらしい。被衣《かずき》でご尊顔は見えないが、黙々と、見るからに優雅な歩みを続けて降りて来られた。

（流石《さすが》は昔の姫君よ）

信定は気品のある女性が好きだ。だから無性に嬉しかった。「安土殿」を拝見できただけでも見送りに来た甲斐があったと思った。

それに較べ、続く大勢の若い権高《けんだか》な側室たちは、ぶざまだった。

生来の弱脚《じやくきやく》と敵襲来への恐怖からであろうか、出発早々に転げまろびつして草履《ぞうり》を切らし、裸足の足から血を流しては悲鳴を上げた。

下級武士か、せいぜいが小城主の娘である。それも三男信孝の母『坂氏』、信高・信吉・息女於振《おしん》をもうけた『高畑氏』、信正を生んだ『原氏』が、かろうじて『氏』が判る程度。後の五人ほどは、戦場や鷹狩りの「女捕《めど》り」女である。氏素姓は全く不明だ。

側近たちは信定も含めて「信長さまの、合戦や鷹狩りの野駆けで高ぶったお気持ちを慰める一瞬の忘れ草のようなものさ」と半ば呆《あき》れ、半ば諦めて側室たちの増えるのを傍観してきた。

女衆は、坂の途中まで来るとたちまち馬脚を露《あらわ》した。呆れたことに、一人が暑苦しさに我慢できずに被衣をかきあげ、打ち掛け小袖を腰に纏《まと》うと、我も我もとこれに倣《なら》った。嗜《たしな》みもなにもあったものではない。

だが、信長さまの側室全員が、一列に並んでお顔を見せるのは、前代未聞のことである。信定は好奇心に駆られ、思わず前に進んで顔を盗み見た。

こんな緊急の場合でなければ「無礼者」と言われるところだが、今の女衆はそれどころではない。素足もあらわにしなければ降りてこられないのである。

信定は不躾《ぶしつけ》承知で、冷酷な傍観者に徹して観察し続けた。

茶器や美術品などには高度の美意識を持たれる信長さまが、なぜ女については、美形とは程遠い者ばかりを選ばれるのか——、信定は長い間、不思議に思ってきた。側室の高畑氏などは、信長さま自ら自嘲ぎみに「お鍋」とあだ名されたほどの不細工な、色黒の女と聞いていた。だが、よく観察すると、それでもまだ小城主の娘らしく、他の側室よりは、ましなほうだった。

（よくも揃いも揃って……）といいたくなる。

だが、ここ坂下に立って、女衆を一列に、順に顔と体型まで追っていると、信長さまの好みには、ある共通の特徴があることが判った。

夏の薄着のせいもあるが、皆、胸乳《むなぢ》の突き出た、腰のししむらの大きな女ばかりである。

信長さまが新婚の濃姫をほうり出して、溺れるように通われた生駒《いこま》屋敷の娘、信忠、信雄《のぶかつ》、さらに五徳（松平信康室）までをもうけられ、十六年前（永禄九年）に亡くなられた「吉乃《きつの》」さま。

この女性だけは見目《みめ》麗しいお方だったそうだが、元はといえば子持ちの寡婦《かふ》だった。生年不詳だが、もしかすると信長さまよりずっとお年上だったかも知れない。

やはり母性的なお方だったのだろう。

最近になって加えられた若い女まで、例外なく同じような胸と体型だった。

一人として〝やんごとない上臈《じょうろう》型〟がいないのである。

（信長さまが女性に求められたものは、女というより、むしろ母親に近かったのではないか）

思いがけぬ、意外な発見だった。

だが、なぜなのかは信定には判らない。信長さまにお仕えしたのは信長さまが成人されて以後のことであり、ご幼少の頃の知識が欠落していた。知っているのは、癇性《かんしょう》の強いお子で、乳母の乳首を嚙み切ったというお噂ぐらいである。信長さまの母御への憧れが、ここまで強いとは理解できなかった。あれほど嫌われた母なのに……。これは一考に値すると思った。

（それには俺の知る信長さま以前に溯《さかのぼ》って、幼少の頃の素顔を追う必要があるのではないか）

春雷のように女衆一行が去ると、後は広大な安土城は閑古鳥の鳴く無人の館となった。

天守五重の書庫に戻ったが、ここも全く人の気配がない。

信定は、今年四月以降の光秀の絡む諸事項——三河殿の供応、接待役の指令、あるいは秀吉の高松攻めの応援指令などの書類綴りを引き出した。そこには、信長さまの要望で、側近たち一人一人の率直な意見や、聴取した下々《しもじも》の噂などが書き添えてある。なにを書いても叱責されるようなことはなかった。

信長さまが、意外に現場の事情通だった秘密がここにある。自分も光秀や秀吉評を忌憚《きたん》なく書いてきた。その部分は信長さま以外の誰にも読まれたくなかった。

処分すると決めた書類を小脇に抱えて、再び階段を下り、天守の南側の空地で焼却しながら、ふと前面に広がる地続きを見た。

小さな青い芽が一寸近く育っていた。今年四月末に東海道見物から帰られると、早々に信長さまが播種《はしゅ》させた唐黍《とうきび》（トウモロコシ）の芽である。数年前にポルトガル人から入手されたものだ。

（これが三年目。信長さまは、とうとう今年は、これを召し上がれぬままに、この世を去られたのだ）

信長さまの死の実感が、改めてひしひしと身に染みる。

どのくらい時がたったか。

思い出に浸っている背中に、ふと、なにか視線を感じた信定は、慌てて振り向いた。だが誰もいなかった。

何げなく天守を見上げた。五重の明かり取りの格子窓から、じっとこちらを見ている目があるような気がした。

(なに奴!)と思った。急いで天守の階段を駆け上がった。だが、ここにも誰もいない。

(まさか幽霊ではあるまい)

もっぱらの噂である。

数年前から白い衣を着た女の幽霊が天守の上層に現れるという。信長さまが御寝《ぎょしん》後、うなされているという話まで、まことしやかに用部屋に伝わっている。そのせいで信長さまは、時に、妙にはしゃぎ、時に、妙に塞《ふさ》ぎ込まれるのだとも、口さがない者たちは囁《ささや》き合った。はしゃぎの絶頂が、昨年(天正九年)二月のお馬揃《ぞろ》え。鬱《うつ》のどん底が、四月の桑実《くわのみ》寺事件(信長さまご不在中に勝手に桑実寺に出掛けたお女中と寺の長老を全員成敗)、また四月末に相撲大会で、はしゃがれたと思うと、たちまち八月には、また高野聖《こうやひじり》数百人の殺戮《さつりく》といった鬱の所行に落ち込まれた。確かに信長さまには不思議な感情の交錯があった。

(しかし幽霊なら、こんな朝っぱらから出てくることはなかろう)

思い直して、書類の整理を終えた。

地下一階の武者溜まりに、最後の別れに木村次郎左衛門の姿を探したが、あいにく不在だった。十数人の部下だけが暗い顔をして残っていた。次郎左の所在を尋ねると、逃げたお納戸《なんど》役に代わって、普請、お台所などの溜まった代金の支払いに回っているとの返事だった。

最後まで律義な男よ、と思った。だが長居はできない。

（心残りだが仕方があるまい）

昨夜半、夜陰に乗じて先立ちした直助親子との約束の時刻が迫っている。

一旦、屋敷に戻り、用意してある旅装を整えた。上洛用に準備した物の中から正装用の衣類を捨て、代わりに、付近の地図と三つの手燭《てしょく》を加える。自邸にある金銀はあらいざらい集めて胴に巻き、刀の代わりに仕込み杖を持った。最後に一頭だけ残しておいた馬小屋の馬をひいた。五つの木箱は先発の二人がすでに運び出しているから、携行品は比較的軽量である。

下街道に出て馬上の人となった。女衆の出ていった「百々橋」口を追いかけるように、東南に向かって道を取る。

落ち合う場所は、昨夜、八日市の「太郎坊宮」と決めてある。

正式の名は阿賀《あが》神社。神社を守護する「太郎坊天狗」から、太郎坊宮の名で通っていた。

境内に入ると、すぐ二人の待機する所在が判った。

「無事に運んだか」

「しかと。で、ここからは」

「八風《はっぷう》峠越えで清洲へ参る」

初めてここで行く先を明らかにした。

「かしこまりました」

これだけである。信定の自邸でのやり取りは、年々信長さまに似て、事務的な短いぶっ切れの会話になっていた。

八風街道は、馬ではかえって手数が掛かる狭い道だ。

馬は三頭とも処分した。明智軍との合戦を予想してか、馬は高値で売れた。

太郎坊付近の農家で腹を整え、各人三食分の食糧を打違袋《うちかいぶくろ》に携行した。最後の最後に、農家の納屋で全員が僧形に姿を変え、編笠を被り、笈《おい》を背負った。

笈の底に木箱を秘めた。直助と小太郎が二箱ずつ、そして信定自身が一箱。信定は一箱少ない代わりに、路銀や飲み水、傷薬などの常備薬を持った。

八風街道は八日市を起点に、東に向かい、永源寺、杠葉尾《ゆずりお》、片瀬を経て、国境の八風峠（九三八メートル）を越えて切畑、田光《たびか》へと下る街道で、近江の四本《しほん》商人（保内、小幡、沓掛、石塔の商人）が、ひそかに東国に向けて通う商人道である。

清洲まで二十里余か。翌早朝までに、八風越えして民家のある所まで行く計画を立てた。

三人は頷き合って出発した。道の往来は、京からの下り者が多い。恐らく戦乱を避ける疎開者であろう。この中に交じって、しばらく無言の行となった。

一刻（二時間）ほどすると直助が近づいてきて囁いた。

「何者かが追って来る気配でございます。急ぎましょう」

誰の追っ手か、全く見当がつかなかったが、考えている暇はない。それに、重い笈を背負っての追っ手との戦いは不利だ。まず先を急ぐことが先決だった。

幸い三人とも健脚だ。背中の笈の重さを物ともせず、飛ぶように歩く直助親子は頼もしかった。永源寺を過ぎた所で夕刻を迎え、歩きながら食を摂《と》り、水を補給した。

後は夜陰を、方角は、かすかな上弦の月と北極星を頼りに、そして足元は、各人が持つ小さな手燭を照らして、昼夜兼行で峠を越えた。

切畑に出てからは馬を買い戻して荷を付け、時に馬上で交互に睡眠を取った。幸い追っ手らしい者の姿は、二度と現れなかった。

翌日の昼過ぎ、桑名《くわな》で商人宿を探して旅の疲れを癒《いや》した。

清洲は、安土から逃げ戻った武士や下人でごった返しているだろう。明るいうちに入るのは人目に付くし、危険だった。

夕刻まで待って、桑名を発ち、夜陰にまぎれて清洲に入った。

天候は一変し、ひどい土砂降りとなった。

「清洲はどちらへ」

二人は、清洲なら当然、親類・縁者の所と思っていたようだ。が、信定は、かぶりを振り、ゆっくりと答えた。

「成願寺《じょうがんじ》へ」

4

夜陰に眠る清洲城と城下町を背に、三人が小さな手燭を頼りに東に進んで、およそ一里。

「ここじゃ。この荒れ寺が成願寺よ」

信定は闇の中にかすかに浮かび上がる堂宇《どうう》を指さして叫んだ。

直助親子は黙って頷くだけだった。時々、この寺との間に書簡の往復のあること は留守を預かる者として知っている筈だ。が、その意味は二人に教えていない。ま してこの小寺が自分たちの主人の生地であるとは夢にも思っていないだろう。

信定は小さく苦笑いした。

今は村の鎮守程度の影の薄い存在である。だが、往時——庄内川の南北両域五百 余町歩が、京・醍醐寺（真言宗醍醐派）の寺領（安食荘《あじきそう》）だった頃は、豊かな収入 を背景に、末寺ながら方十町を超える巨刹《きょさつ》だった。そのことは、子供の頃に亡父か ら嫌というほど聞かされた、その昔の自慢話である。その後は幕府の地頭制度の施 行や武士階級の台頭によって寺領を次々に奪われ、衰亡の一途を辿《たど》った。

地元の織田家が法華宗であり、農民は農民で、弾圧されても一向宗人気が強い。 真言宗の不人気も、衰亡に拍車をかけた。

数年毎に起きる洪水の被害も甚大で、寺屋の復興もままならず、堂宇は荒れるに まかせてきた。信定が密かに寄進を続けてこなければ、どうなっていたかもわから ないほどだった。

座主になり手がないため、やむなく弟を据えてある。弟といっても父が他所《よそ》の女に産ませた子を捜し出したもので、世間的には知る者は少ない。

祖父も、そのまた先祖も、信定の家系は、この寺が栄えていた頃は高位の僧侶だったという。父は、そんな自称「七代続く僧系」を唯一の誇りに生きていた。が、父自身は先立つ貧乏に打ちひしがれ、愚痴と酒と女道楽一途の生臭坊主で終わった。

信定は、そんな父の生き方と寺の将来に愛想を尽かし、読経もそっちのけで弓矢の道に精を出して、出世の道を切り開いた。

それでも父は、誇り高い僧侶の家系に終止符を打って飛び出した信定を、終生許さなかった。

父は老年を待たずに死んだ。死の床で家系図を抱いていた。

(俺と一緒に焼き捨てよ)という遺言が残されていた。

武士は畜生道。畜生道に堕《お》ちた子に、家宝の家系図はやれぬ、という面当《つらあ》てであったろう。

信定は黙って遺言に従った。それが、ただの「系図書き屋」の贋作《がんさく》に過ぎないことは、密かに調べ上げていた。そんな家系図になんの未練もなかった。この事実を父に告げなかっただけである。

以後は出自や家系の貴質《きしつ》を鼻先で笑う信長さまへの傾倒が一層、激しくなっていった。

弟の座主・清源は父に似ぬおとなしい性格だった。夜陰の雨に乗じて現れた兄を、喜んで迎え入れた。

信定は一言、

「一晩だけ厄介になる。密命を帯びての旅じゃ。他言無用に願いたい。義妹にも連れ合いの平左衛門にも内緒にしておいてくれ」

と念を押して、胴に巻いてきた金銀を大量に分け与えた。

翌早朝、幸い雨が止んだ。信定は寺内の塔頭《たっちゅう》の一つに、中間二人を連れて引きこもった。五十歳を迎えた節目に、将来の自分の隠居所のつもりで建てたものである。

三人のうち二人が交替で、塔頭の前後の出入口を読経を装って警戒に当たり、残り一人が仏間の縁の下に潜って五つの穴を掘った。五つの木箱は、何重にも油紙に包んだ上に、さらに砂利石を撒《ま》いて、一つずつ別々の穴に地中深く隠した。

作業が終わると、夕刻には再び僧形に戻り、

「北庄へ！」と二人に告げた。

すでに六月も六日。直行していれば勝家に会っている頃である。心は逸《はや》ったが、ここはむしろ直助のほうが慎重だった。

「誰の手か判りませぬが、間違いなく今も追っ手がおります。万一のことを考え、もう一度、笈《おい》を背負って参りましょう」

笈の中に経典と重そうな小さな仏像を収めた杉の木箱を入れた。

もし、追っ手が密かにこちらを監視しているなら、依然木箱の運搬を継続しているように見せかける偽装である。

「途中の山中の何処《いずこ》かで、もっともらしくこれを埋めましょう。それより殿、ご子息はこのままでよろしいのでしょうか……」

直助は気を利かせて信定を見た。

もちろん息子たちに一目会いたいとは、昨夜からずっと考えていた。が、目と鼻の先とはいえ、清洲に行けば挨拶だけでは済まない。

あの日の本能寺の話を皆とするのが、ひどく億劫《おっくう》に思えた。

「こたびばかりは諦める。先を急ごう」

意を決して、信定は夜を待って寺を後にした。

直助は、昔取った杵柄《きねづか》で、さすがに間道に詳しい。その先導に従って清洲城下を迂回して、ひたすら北上を開始した。

岐阜城（織田信忠居城）の聳《そび》える金華山前で夜が明けた。金華山を左に見ながら美濃に向かう。美濃辺りは、今は織田家（織田信孝領）の支配下にあるが、光秀の出身地（可児《かに》）に近い関係から、街道ですれ違う者が、織田側か明智側か皆目判らない。そのために中央の動きを聞き出すことができない。道端で耳にしたわずかな噂は、

――光秀、安土城を占拠

――勝家、越中戦線より北庄へ引き返す

といった程度で、それが何日のことかも定かでない。

西部戦線の織田信孝や中国筋の羽柴秀吉の動きに至っては、皆目不明のままであった。

「美濃から越前街道への、これからの道は、一層足早にて通らねばなりませぬ。まず背中の笈の中の物を捨てます。次に、三人の僧形はかえって目立ち過ぎます。私たちは元の姿に戻りまする」

直助に言われて、三人は一旦、沿道の船伏山の山中に入った。山の、とある洞《ほら》の奥に、三カ所にばらばらに笈を置き、周囲を雑木の枝で覆い隠した。目印に、甲賀

の忍び衆の《呪い符》を張り付けた。

以後の二人は中間姿に戻り、信定だけが僧侶姿のままで進んだ。身軽になって足が一段と速くなった。長良川沿いに北上を続け、この夜は河原で野営し、交替で睡眠をとった。

翌八日昼前、一行は油坂峠《あぶらざか》を越えて美濃街道を更に西に向かった。越前大野は夕刻に無事に通過した。

事件はその夜に起きた。

北庄を目前に、一乗谷の狭い峡谷を抜けようとした時である。直助が突然、信定の歩みを小声で制した。

「お待ち下さい。なにやら前方から、かなりの人数がやってくる気配が……」

三人は、急遽、街道を避けて雑木林の岩陰に身を潜めた。やってくる旗印が「丸に二雁金」の柴田勝家の軍勢なら、すぐにでも飛び出すつもりだった。

待つほどもなく三百人以上の軍団が現れ、目の前をせわしなく通過した。松明《たいまつ》に浮かぶ将兵の旗印は「丸に三引両」。佐久間盛政の旗印であった。

信定は頭を横に振って、二人を自重させた。盛政は柴田旗下《きか》とはいえ、できれば避けたい相手だった。

二年前（天正八年）の八月、尾張五器所《ごきそ》の佐久間信盛《のぶもり》が、大坂の本願寺攻めの怠慢を理由に、子の信栄《のぶひで》と共に高野山に追放されたことがある。なぜかこの『譴責《けんせき》十七箇条』が側近の太田信定の讒言《ざんげん》によるものとの噂が流れた。噂は家中にぱっと広がった。

全くの事実無根である。これは、例の信長さまの「鬱」の最中に、ご自分で右筆《ゆうひつ》に口述させたものである。

信長さまは、元来が文章下手だが、そのうちでも、これは最悪の文章だった。

（あんな悪文を俺が書くはずがないではないか）

信長さまの手による以上、そんな弁明をするわけにもいかず黙っていたが、外部の者は信定を白い目で見ていた。

目の前を通る武士団の旗頭・佐久間盛政は、柴田勝家の甥であり、五器所の佐久間とは直接の縁続きではない。が、祖を辿れば同じである。同根の佐久間の一員として「太田憎し」を叫んでいることを人から警告されたことがある。

幸い盛政の軍団は一隊だけで終わった。足音が次第に遠ざかっていった。

「どうだ。このまま行くか」と信定が訊ねる。

「いえ」直助は強く頭《かぶり》を振った。

「念のため、小弥太に先の様子を見せてからのほうがよろしゅうございましょう」

直助は相変わらず慎重だった。

小弥太が飛ぶようにして消えて間もなく、闇の中で突然、喚声が上がり、あちこちで犬の遠吠えが始まった。

「しまった、犬に見つかったかも知れませぬ」

直助は、夜目にも判るほど蒼白になった。

「どうやら山狩が始まったようでございます。我ら残念ながら先ほど通り過ぎた軍勢と後方部隊の挟み撃ちに遭った模様で……」

絞り出すような声だった。

「それより、小弥太はどうじゃ。無事であろうか」

自分のことは、弁明次第でなんとでもなると思った。それよりも小弥太の身が案じられた。

直助は、歯を食いしばって不安を堪《こら》えている様子であった。

こうなったら仕方がない。潔《いさぎよ》く出て行くほうが小弥太の身の安全のためでもある。

岩陰を出て街道まで下ると、進んで松明のある方向に向かった。

佐久間の軍勢が、ばらばらと駆け寄ってきた。

抵抗のしようもないまま、二人は高手小手《たかてこて》に縛り上げられた。

「織田家家臣・太田信定と知っての狼藉《ろうぜき》か、安土城留守居役・蒲生賢秀殿の使いで参ったのじゃ。柴田殿に目どおり願いたい」

呼べど叫べど、相手は不気味なほど一切無言だった。

それだけではなかった。さらに三人掛かりで押さえ付けられると、目隠しや猿轡《さるぐつわ》の屈辱まで受けた。そのまま唐丸駕籠《とうまるかご》に押し込まれ、いずこともなく連れていかれた。

だが屈辱の駕籠に揺られながら、信定は悲観してはいなかった。

（いずれ解る。解ってもらえる）と信じていた。

もし盛政の前に引き出されたら、ただ「柴田殿に会わせよ」とだけいうつもりだった。委細は修理亮《しゅりのすけ》殿だけに話す。そして光秀への復讐と織田家再興を約束してくれるなら（あの木箱の話、修理亮殿にだけは打ち明けてもいい）とまで心に決めた。

その夜は、詮議《せんぎ》もなにもないまま、どこか判らないが大きな蔵のような建物の中に、目隠しと縄だけ解かれて放り込まれた。

直助とは離ればなれにされていた。

蔵は古い味噌蔵のようだ。強い麴《こうじ》の匂いが鼻をついた。

(なぜ、監禁の場所が味噌蔵なのか)をじっと横になって考えた。

これが柴田修理亮殿の措置《そち》なら、味噌蔵などということはあるまい。北庄の城には地下牢は完備している筈だ。

そうなると、これはやはり佐久間一族の自分に対する《私怨《しえん》》かも知れない。だが、ただの私怨なら……、どうしてこの信定の北国行を、あたかも計算していたかのように察知して、峡谷の間で待ち受けていたのだろうか。多分、直助のいう追っ手と関係があるのかも知れない。闇の中で、信定は、あれこれ一人で思案し、呻吟《しんぎん》した。

だが、数日の強行軍の疲れか、やがて信定は睡魔に襲われ、そのまま意識が薄れていった。

眼が覚めると、天井から、かすかな光がさしていた。蔵の天窓に違いない。

(朝か! ということは九日になるな)

再び、不安と焦燥が襲った。その後の安土城はどうなったのだろう。日野城は籠城に耐えているだろうか。賢秀は、そして次郎左衛門の運命は……。たまらない気持ちになった。

「誰かおらぬか。誰か！」

何度となく叫んでも、自分の絶叫が、ただ空しく蔵内に響き渡るだけである。仕方なく座り直し、周囲をじっくり観察した。

やがて、入口とおぼしき所の鉄扉の下に、差し入れ口があることが判ってきた。そこに、小さな盆が置いてある。

（食い物の差し入れか）

手にとって薄明かりにかざして見ると、盆の上に粥《かゆ》と汁が載っていた。

まず汁椀を取って、指を汁に突っ込み、その指を嘗《な》めてみる。舌に痺《しび》れはなかった。二度、三度と確かめてから、今度は椀に口をつけて汁を舌の上で転がした。ただの塩汁であった。どうやら安全なようだ。次に、粥も同様の吟味を繰り返した。こちらも安全だった。食い物の安全が判ると、一気に空腹が襲った。が、信定はあくまで慎重だった。

（一日、一回、これだけかも知れぬ）

大事に食する必要があった。

粥を少し口に入れ、舌に顎《あご》を押し付けて、汁を出し切るように呑むと、それからゆっくりと嚙み始めた。

(一口百回)。そう決めた。嚙んで、嚙んで、舌の上の赤米が糊《のり》になるまで嚙み続けた。粥が完全になくなるまで汁を呑まない。そうでなければ嚙むことが疎《おろそ》かになる。

粥がすべてなくなってから、今度は塩汁を呑んだ。こちらも塩水をゆっくりと嚙んだ。塩水を嚙むというのもおかしいが、やはり口の中で嚙めばそれなりの味が出ることは、寺の修行時代の貧しい食事の経験から得た知識である。

空腹が少し柔らぐと、気を取り直した信定は、立って建物の広さを測るためにゆっくりと手探りで進んだ。三十歩で壁に突き当たった。足元にある小石を握り、壁を擦《こす》って傷の印をつけた。次に壁に沿って右に進む。八十歩で突き当たった。更に右に回り壁沿いに進む。九十歩で突き当たる。もう一度、右に回り、百二十歩で突き当たる。また右に回り、九十歩。そして最後が、最初の三十歩でぶつかった壁側になる。慎重に進んで四十歩でつけた印に再度ここで触れた。

(左右三十間《けん》、奥行き四十間程度の広さの味噌蔵だ)

と計算した。味噌の備蓄蔵に違いない。だがこれだけの大量の味噌がすべて空ということは、進軍用に運び出したにしては多すぎる。

（一樽や二樽は残っている筈だ）

ふとそう思った。もう一度立って、今度は中央を巡った。

「あったぞ！」信定は小躍《こおど》りした。

箍《たが》が緩んで持ち出せなかった樽のようだ。手探りで緩んだ箍をはずし、中の味噌を手で掻き出した。いい香りがぷんとした。こちらは毒などある筈はない。思わずむしゃぶりつく。

（旨い！　これは年季ものの上等な加州味噌だ）

信定は心の内で叫んだ。

信長さまの所には、諸国の武将から地元自慢の味噌樽が大量に送られてきた。信定も自然に《味噌通》になっている。

（つまり、ここはまだ加賀。佐久間の領内なのだ）

改めて警戒心を新たにした。

だが、その後は全く音沙汰なく、この日も、翌日も、そのまた翌々日も暮れた。食事は予想したように日に一度だけだったが、空腹になると何度も味噌を嘗めに行った。さらにもう一つの樽を探すと、菊牛蒡《きくごぼう》（山牛蒡の尾張名）の漬物樽まであるのを発見した。

朝の汁一杯という水不足以外は、飢える心配はなくなった。

問題は下の処理だった。どこにも厠《かわや》がない。やむなく自分の起居する場所から最も遠い隅を勝手に厠と決めて、ここで用を足した。

文字通り、味噌も糞も一緒、の毎日が十日以上も続いた。

さらに数日後、建物の外部に慌ただしい人の動きが起きた。

耳を澄ませると、どうやら数人の男の小競《こぜ》りあいのようだった。

信定は素早く起きあがると、味噌樽の陰に隠れた。

騒ぎが少し収まったかな、と思った時に蔵の扉が、急にギーッという鈍い音と共に、半開きになり、数人の男が小さな手燭一つを手に、するりと入ってきた。

「いたぞ」「ここだ」という仲間同士の囁きに続き、「太田殿か」という押し殺した低い声が、こちらに向かって飛んできた。

「いかにも。して、そなたたちは……」

信定は、樽の陰から答えた。

もしかして直助親子が救出にきたのではないか、淡い期待を抱いた信定は、ついふらふらっと樽の前に飛び出した。

「小弥太か！」

信定の確認の問いが空しく響くと同時だった。

闇の中から二人の男が飛びついてきて、いきなり両脇をかかえこまれた。痩せてはいるが、恐ろしく力のある男だった。

「なにをする！」

信定は、身をよじって男を振り離そうとしたが、全く身動きがとれない。そこに三人目の男が現れた。

「御免！」の一声と共に、信定は嫌というほど鳩尾《みぞおち》に当て身を食らい、思わず蹲《うずくま》って倒れた。

次の一瞬、あっという間もなく、信定は寝棺《ねかん》のような箱の中に、放り込まれた。蓋が締まり、がちゃっという金属音が両脇に冷たく響いた後、箱はふわりと浮き上がったようだ。

（一体、どこに運ぶ気か？）

どこの誰が、この俺の運命を弄《もてあそ》んでいるのか――。信定は、身動き一つできない狭い箱の闇の中で、己が身の変転を呪い続けた。

5

箱の中の闇は、いつ果てるともない精神力との戦いの場である。

信定は長く激しい上下動に耐えながら、(こんな理不尽なことで死んでたまるか)と、弱気になる自分を叱り続けた。

しばらくして少し落ち着きを取り戻すと、頭の上の隅に空気抜きの穴があることに気づいた。そこからかすかに潮の香が漂ってくる。

(どうやら海岸沿いを行くようだ。それも、かなり急いでいる様子だ)

しばらくすると頭の側が急に高くなった。坂を登り始めたのだろう。担《かつ》ぎ手《て》たちの喘《あえ》ぐ息切れが、空気穴を通して聞こえて来る。また頭が平らになる。そしてまた頭が上がる……、この繰り返しが何度も続いた後、いきなり、どかんと乱暴に地面におろされた。

途端に、額を上蓋に嫌というほどぶつけた。額に瘤《こぶ》ができたようだが、狭くて手で触ることもできない。

数人の男たちのひそひそ話が続いた後、思いがけず蓋が開いた。

外は真っ暗でなにも見えない。底が持ち上げられて箱が反転すると、信定の身体は石ころのように転がり出た。一瞬、てっきり坂の上から海に落とされたのかと、恐怖が走る。

しかし、下は平らだった。それも木の床のようだ。どうやら建物の中らしい。担ぎ手が無言で去って行くのは知っていたが、起き上がって追うどころではなかった。信定は闇の中に、ただうずくまっていた。

静かになると全身の力が抜け、どっと疲れが出た。思考が次第に曖昧《あいまい》になっていく。無性に眠くなる……。

顔の上をよぎる強い潮風にむせて、信定は再び目覚めた。

いつの間にか明るくなっていた。見回すと、十畳間ほどの板敷きの中央の茣蓙《ござ》に信定は寝かされていた。

ふと、自分の横に老人と老婆が控えているのに気づいた。

いずれも七十歳近い。揃って白髪、赤銅色《しゃくどういろ》のしわくちゃな顔。目は細く、くぼんで弱々しい。だが視線に敵意は全く感じられない。

「ここは何処《どこ》だ」

信定は、おもむろに向き直って訊《たず》ねた。

二人は黙って信定の口元を見つめ、微笑を返すだけである。

恐らく口止めされているのだろう。諦めて、しばらく様子を見ていると、奇妙なことに、老人と老婆との間の会話はすべて身ぶり手ぶりであった。どうやらこの二人は口も耳も不自由らしい。

(ならば仕方がない)

自分で様子を見よう、と起き上がろうとして、鳩尾あたりがひどく痛むのに気づいた。

(そうだ、あの時、俺は当て身を食らってのけぞったのだ)

ぶざまな記憶が蘇《よみがえ》った。

再度どうにか起き上がろうと身を起こしかけて、信定はよろけた。胸だけではなかった。箱の中に閉じ込められている間に、足腰を捻《ひね》ったらしい。下半身があちこち痛む。ぶつけた額もまだ痛い。

見かねたように老人が、身体を支えてくれた。老人にしては意外に力があった。

助けを借りて立ち上がると、よろめきながら潮風の吹き込む方向に歩み寄った。

覗き窓から一望して驚嘆した。

眼下は五十丈（一五〇メートル）を越える断崖だった。荒磯に丈余《じようよ》の波が迫り、白波が轟音と共に岩礁に砕け散っていた。沖の水平線の彼方には、遠く、長く低い陸地が朝霞の中に拡がっている。

どうやらここは内濟らしい。

「何処じゃ、ここは。能登か」

加賀にはこんな深い湾はない。無駄と知りながら、もう一度、訊ねた。

老人は頭を振りながら、しきりに部屋の隅を指さした。

いつの間にか衣類の着替えが置かれていた。

自分の衣類の汗と麴の混ざった異臭に初めて気づいた。

ままよ、進んで着替えてやろうと踵《きびす》を返すと、今度は老婆が出てきて手招きする。指さす方向を見ると、部屋の外の低い土間に、行水の支度がされていた。大盥《おおだらい》から湯気が立ち上っている。

（有り難い。身体まで洗えるのか）

汚れた衣類を捨てて、大盥の脇の小さな台に腰掛けた。近づいてきた老婆が、背中に回って濯《すす》ぎまでしてくれる。昨夜までの扱いとは天地の差があった。

さっぱりとした麻の衣類に着替えて部屋に戻ると、やがて中央に食膳が運ばれて、きた。驚いたことに、膳の上は、豆雑炊、梅干し、漬物の小鉢の他に、二の膳に真《ま》菜《な》（魚料理）までついている。それも安土では見たこともない白身の「造り」（刺身）であった。

「造り」を見て思い出した。五月上旬の信長さまの三河殿のご接待でも、当初のご接待役だった光秀が、苦心惨憺《さんたん》して琵琶湖の魚を「造り」にすることを試みた。が、結局は万一の食あたりを恐れて中止した。それほど鮮度を保つことに苦しむ素朴な料理である。

まして、この真夏に海辺とはいえ、老人二人の素人の手で食膳に供されるとは、思いもよらなかった。

信定が躊躇《ちゅうちょ》しているのを見て、老人は小鉢に生姜《しょうが》を擂《す》った。これを造りの切り身にすこし付けて食べてみよ、という身振りだ。

思い切って口に放り込み、そっと噛んでみる。なんという名の魚か判らないが、じわりと溶けるような甘みがあった。それが生姜の辛みと混じって、絶妙な味の余韻が舌全体にひろがっていく。

「旨い。天下一じゃな」

昨日までの乱暴な扱いを一瞬だが忘れて、信定は一人で呟《つぶや》いた。公方（将軍）家の食事を五代に亙《わた》って造ってきたという三好家の坪内某の料理も、この素朴な味には到底及ぶまい。

食事が終わると、老婆は片付け事らしく、水屋《みずや》に引き下がった。だが、老人は、べったりついたまま離れない。かといって、話相手にもならないのでは、なんとも煩《わずら》わしかった。

ところが、立って入口と思われる方向に向かうと、前に立ちはだかって一歩も先に進ませない。小柄だが、馬鹿力があった。

改めて自分が《軟禁》されていることを覚った。

莫蓙に戻って、痛む腰をさすりながら少し横になる。それを見た老人が、近づいてきて、今度は腰をさすってくれた。敵か味方か、さっぱり分からない老人だった。

されるがままにして目をつぶり、あれこれ振り返った。

一乗谷で遭遇した部隊は、明らかに佐久間盛政の指揮下だった。

だが、この老人は一体、誰の指図を受けているのであろう。

もしここが能登なら、指図主は領主・前田利家ということになるが……。それならどうして、この俺が盛政に拘禁されていることを知ったのか、なんのための救出か。親切ごかしだが、もしかすると、どちらもあの五つの木箱目当てかもしれない。

この盛政からの救出は、あの粗野な男・利家の知恵だけではあるまい。ひょっとすると利家の寄親・柴田勝家の指示かもしれない。

（きっとそうだ。それなら俺の思惑どおりだ。いずれ勝家殿にお目にかかれる機会が来るに相違ない）

できるだけ楽観的に考えることにした。それまでに、胸と腰の痛みを治し、たらふく食って気力を回復させて待つしかあるまい。

決心してからの信定は、数日、ひたすら食い、かつ眠った。

老人は、信定の抵抗姿勢が止むと一層親切になった。なにやら黒い膏薬《こうやく》まで持って来て、胸と腰に張ってくれた。北国の薬は、伊賀・甲賀の秘薬の製造元で良く効くとはかねてから聞いていたが、なるほどと思った。日を追って痛みが和《やわ》らいでいくのが分かった。

そうなると、じっとしているのが苦痛になった。なにしろ、信長さまの「天下布武」の旗の下、十四年の間を、時々刻々と動く世界に身を置いてきた。それが世の動きと時空を断絶されたまま、二十日近くになる。このままこんな無為が続けば、気が狂うのではないか、と思った。

そんな限界に近い、ある日、思いがけない展開があった。

老人が、珍しく入口の扉を開けてくれたのである。海以外に、ここに来て初めて見ることのできる最初の外界だった。

外に出て見ると、どうやらこの建物は、海に面する山の中腹の洞《ほら》の中に建っているらしい。登り口は一つしかない。入口の下には番小屋があり、十人ほどの衛兵がいた。登り口以外の周囲は、全面が何重にも木柵《もくさく》で取り囲まれ、逃亡は不可能だった。木柵の外側は厚い木の枝で覆われていると見え、外部からは建物の存在が窺《うかが》えない構造のようだ。

登り口の坂道から、五人ほどの武士が、下人に重そうな荷を担がせて登ってくるのが見えた。旗竿一つ持たず、武士の全員が着ているのは襟の紋章もない灰色の小袖と筒袴だった。

秘密裏の行動なのであろう。到着後も、お互いに言葉を交すこともなく、荷の持ち込み作業だけで終わった。

荷は大きな藁苞《わらづつみ》の箱二つ。信定の部屋に置くと、武士たちは、そのまま無言で引き上げていった。

信定は藁の編目から中を覗いて、はっとした。

「まさか！」飛び上がるような心地で、藁苞をむしり取る。

出てきたのは、安土の西光寺に預けた、あの桐箱だった。

（一体、これは誰の差配であろうか？）

思わず、老人を力ずくで押し倒すようにして家を飛び出した。降りて行く武士たちを捉《とら》まえて、この小憎らしい好意の主の名を訊ねたかった。

だが、すでに木柵は堅く閉じられており、武士たちの背中が遠くに見えるだけで、下の世界との関係は再び遮断されていた。

すごすごと家に戻ると、老人は怒った顔一つ見せずに、信定を招き入れてくれた。

改めて桐箱の中を点検してみる。掻き回された形跡は歴然だが、蔵書・日記類は無事。あわただしく突っ込んだ、茶壷入りコンフェイトまで盗られずに残っていた。

最後に、怖々《こわごわ》と手探りで二段底の下を探る。と、木村次郎左衛門からの預かり物『天守指図』の略図は、触れられてもいなかった。

（助かった）と思った。

だがこの（いわれなき拘禁と、この小憎らしい好意の主は誰なのか……）

皆目、見当がつかない。

以後は事件らしい事件のないまま、この一軒家の中では一切の時が停止してしまった。

信定は、できるだけ外界のことを考えないように努めた。唯一の救いが、自分の書き溜めた百数十冊の日記だった。

もう一度むさぼり読んだ。

だが、外の季節だけは容赦なく進んでいく。夏も秋も、ここでは短かった。そして長い、長い冬がやってきた。聞きしに勝る冬の厳しさだった。最初に来た時に見た覗き窓は、雪と氷に閉ざされて開かない。だが、それが風よけになることも判った。

老人二人は、毎日毎日、入口の雪かきに懸命だった。一日でも雪かきをしなければ、完全に閉じ込められてしまう家である。いつの間にか信定も、雪かきを手伝うようになった。身体のなまりを防ぐのにも役だつ。

雪かきのあとの食事が格別に旨かった。新鮮な生魚にこそありつけないが、干物類が良質だった。それに、海草入りの味噌汁の旨さ。

食事が終わると、雪明かりの中で自分の日記読みを日課にした。

が、何度も読み返して諳《そら》じるほどになると、読むだけでは退屈になった。それより自分の日記を基に、信長さまの事績を伝記風に纏めてみようと思い立った。幸い木箱には愛用の「螺鈿《らでん》の硯箱《すずりばこ》」も入れてある。紙は、美濃紙の買いおきが入れてあった。それで足りないようなら、箱の隙間を詰めるのに使った書き損じの反故《ほご》が大量にある。その余白に書き留めておいて、いずれ清書してもいい。

思い立つと信定は夢中になった。適度な雪かき鍛錬、快適な食事、そして好きな物書き作業の中で、いつしか時の過ぎるのを忘れた。

長かった冬が去ると、この地方の春は駆け足でやってくる。ようやく開けられるようになった覗き窓の景色は、白波までが春の水と戯れるように穏やかになっていた。

と、ある日。下界が馬の嘶《いなな》きと共に、なにやら騒がしくなった。

擱筆《かくひつ》して待つまでもなく、武士が二人、駆け上がってきた。

「前田家家臣・壬生《みぶ》修理と申す者にござる。殿のご命令により、お迎えに参った。ご同道を願いたい」

何カ月ぶりかで聞く人の声である。それだけでも嬉しかった。

「どちらまでじゃな」

これだけの問いも、かろうじて口から出たような気がした。

「越前・松任《まっとう》でござる。主から、太田殿は、永のご幽居にて体調もいかがかと思われるが、大殿《お、との》も間もなくお見えになること故、早急にご来駕《らいが》くださるようにとの申し添えもござれば、早速に……」

(なにが、ご幽居だ)と思ったが、この際は文句をいうのはやめた。

「大殿」というからには、柴田勝家が来るという意味だろう。佐久間盛政も居るに違いない。

(どんな面してこの俺と会えるのだ)それも見物《みもの》だと思った。

「畏《かしこ》まった。して、これなる拙者の荷は如何《いかが》致そう」

後ろを振り返った。大事な書類が部屋一杯に出ている。

「荷は、荷馬にて後から追いかけさせますれば、ご安心を」

「では、大事なもの故、桐箱に詰めるまでは、拙者の手で致そう。荷造りその他は、よろしくお頼み申す」

出ている書類を慌ただしく突っ込んで、そこそこに立ち上がった。

最後に礼を言うつもりで老人二人を探したが、いつの間にか消えていた。

久しぶりの下り道で、危うく転びそうになった。

(信長さまの女衆を笑ったこの俺が……)

と自嘲しながら、下に待っていた馬上の人となる。大きく呼吸して、天を仰いだ。

（これで、すべてが解決するだろう。後は、故郷の成願寺の塔頭に戻り、晴耕雨読としゃれながら、あの信長さまの伝記の続きを書くことにしよう）

思っただけでも胸が膨らむ。

6

一行は薫風香る能登路を一路南下。北国街道を、馬上、泥障《あおり》を打って西へと向かった。

信定は、前田領を出るとすぐに、妙なことに気づいた。

途中の柴田領の出城・砦が、ことごとく破壊されていた。それだけではない。佐久間盛政の本拠の金沢城下に入ると、城下一帯にひるがえる旗の家紋は、すべて前田軍の「剣梅輪内」ばかり。信定を一乗谷で襲った佐久間軍は影も形もなかった。

（恐らく……明智軍と柴田殿の内戦の間に、留守を守った佐久間盛政が、越後の上杉軍に敗れたのであろう）

この時の信定は、蓬萊郷《ほうらいきょう》から戻った浦島のようなものである。それ以外の想像ができなかった。天正五年にも、松任の西南を流れる手取川まで上杉謙信に追撃され、柴田勝家を総大将とする織田北国連合軍は、戦死者一千人を出す大敗を喫した例がある。あれは稲田の収穫期を迎え、謙信が越後に引かざるをえなかった秋の話。このたびは田植期を前に上杉景勝が、そそくさと反転帰郷したのだろう……。

そんな勝手な想像をあれこれ巡らしながら、松任までひた走った。途中で二度、馬を換えた。久しぶりの馬旅は爽快の一語に尽きた。

松任は一度だけ訪ねたことがある。手取川の扇状地の肥沃《ひよく》な土と水に恵まれた穀倉地帯の町で、自分の故郷尾張の成願寺の安食荘と同じく、平安時代半ばまでは寺領（東大寺横江荘）だった。

松任中央の荘家跡に、修理亮殿は、確か豪華な別邸を建てられたと記憶するが……。

松任集落に入ると、その別邸だけは戦火を免れていた。方三十町余りの広大な敷地に、周囲五十間以上もあろうかと思われる土塀を巡らせた、柴田勝家の贅《ぜい》を尽くした屋敷である。

どうやら今日の目通りもこの屋敷で行われるようだ。だが、ここでも、不思議なことに、ひるがえるのはすべて前田の旗ばかりだった。

（どう考えても話の辻褄《つじつま》が合わぬわ）

そんな信定の疑問も知らぬげに壬生修理は、

「間に合ってよかった」とだけ言って、ほっとした笑顔を見せた。

「殿はまだ、大殿とご一緒に手取川辺りを、昔語りと申されて散策中でござる。その間に、太田殿は、あちらにてお着替えめされよ。小袖、肩衣、袴の用意もござれば」

諸事万端が整っているらしいが、今日の引見《いんけん》は堅苦しい挨拶で始まりそうだった。通されたのは五十畳敷きぐらいの謁見《えっけん》の間である。下座に控える信定は、「大殿のお出まし」という声に平伏した。

耳を澄ますと、懐かしい尾張弁同士の会話が、広い廊下を伝ってこちらにやって来る。どうやら「手取川の合戦」の敗戦回顧談の続きらしかった。それは、もちろん信長さまのかん高いお声ではない。かといって勝家の太いどら声でもなかった。

声の主は、上座に座ると、いきなり、

「さても久しや、又介」と大声で切り出した。

これには、いささか面喰《めんく》らった。「さても久しや」は、信長さまが気取った時に使われる愛用語である。信定のことを「又介」と呼ぶのも、家中では信長さまに限られていたのだが……。

「苦しゅうない、面を上げよ」

頭を上げて、上座を見上げた信定は、危うく腰を抜かすところだった。そこには、子供のような小男が、ぶかぶかな蘇芳《すおう》色の派手な小袖を着て、ちょこんと座っていた。信長さまに「禿《は》げねずみ」とあだ名された、羽柴秀吉その人だった。

「どうやら意外なような顔だな。だが、余のことは後で、ここに居る又左（前田利家）に聞くがよい。それより、そなたのことじゃ」

秀吉はさも愉快そうに続けた。一段低い場所で、利家も微笑を湛《たた》えて見守っている。いつの間に利家は、寄親・柴田勝家を差し措いて、秀吉と主従関係になったのであろうか。これも解《げ》せない。

「ところで、そなたは、なぜ十カ月もの間ずっと能登に留め置かれたか、知っておるか」

秀吉は、横の脇息《きょうそく》を自分の前に置き直して、身を乗り出した。

「いえ、一向に存じませぬ」

あれから、もう十カ月にもなるのか。月日の計算のできなかった信定は、むっとする気持ちを辛うじて抑えながら答えた。

「そうであろうの。故なく幽閉された、と怒るのも無理はない。だが、それはお門違いじゃ。余とここに居る又左が、そなたを隠し置くための工夫じゃった。盛政に捕らえられたそなたを、味噌蔵から奪って能登に隠したのは、ひとえに又左が功ぞ。改めて礼をいうがよかろう」

秀吉は信長さまの前で平蜘蛛《ひらぐも》のように這いつくばっていた昔とは想像もできない傲岸《ごうがん》な男に変身していた。

信定は、言われるままに利家のほうを向いて再度の平伏を余儀なくされた。だが佐久間盛政に追及を受けた理由が、まだ納得いかなかった。

秀吉はさらに謎解きを楽しむように言った。

「盛政めは、お屋形さまの愚息・信孝の手先だったのじゃな。そなたが安土城のどさくさに紛れて、大量の《美濃金》を盗み出したと信孝が言うのを、真に受けて、そなたを追ったというのじゃが……。この話には更に尾鰭《おひれ》がある。知りたいか」

中年になって生やした、鼻の下のちょび髭を指先で自慢そうに、撫《な》ぜながら、秀吉は続けた。

「お願い申し上げます」

そう言わざるをえない。それにしても、どうしてこの男は、そこまで事情を知っているのか。悔《くや》しいが、感嘆せざるを得なかった。

「よし、では話して遣《つか》わそう。そなた、伊束《いそく》法師という似非《えせ》呪術師を覚えておるな。あやつが安土城を逃げて、信孝の元に落ち、そなたの行動を逐一、あることないこと告げ口したのじゃ。そして信孝と盛政連合の、そなたの追及が始まったというわけじゃ」

伊束法師は、信長さまが躁鬱《そううつ》に悩まされ始めた天正六年頃から、忽然《こつぜん》と現れた呪術師である。当初は、「都合のいい占いなら利用価値があろう。いいではないか」と、信長さまは軽く考えて、手元で使うことにした。

だが、段々と奥向きのことまで口を挟むようになった。当然、信定たちとは仲が悪かった。

「だが又介、安心せよ。伊束法師はすでに捕えて、余が火あぶりの刑に処した。佐久間盛政の捕縛も間もなくじゃ。なあ、又左」

「所在はすでに突き止めましてございます。必ず捕まえて京へ引き連れますれば、大殿にはしばらくのご辛抱を」

利家は、卑屈なほどうやうやしく平伏して言上した。

（大殿？　秀吉がなぜ大殿なのだ）

利家の言葉は信定の理解を超えていた。が、秀吉は心地《ここち》よさそうに大声でしゃべった。

「盛政も捕まれば余が直々に成敗してくれよう。そなたの敵、そして、そなたの亡き従者二人の仇《かたき》である伊東法師と信孝は、すでに亡き者とした。盛政の成敗も間もないこと。といったところで、そなたを今日、匿《かくま》い先の能登から解放したというわけじゃ。これで事情が呑み込めたかな」

（やはり、直助親子は死んだのか）

やり切れない気持ちを押し殺して信定は口を開いた。

「今浦島の信定ながら、そこまでお聞きして、ようやく呑み込めましてございます。ご深慮のほど有り難くお礼申し上げます」

なんと威張られようと、助けられたのは事実だ。ここではひとまず礼を言わざるを得ないと思った。

「そうか、それはよかった。では最後に、こちらから二つ話がある」

「なんなりとお訊ねくださいませ」

「一つは、伊東法師の申したという噂の真偽は如何に？」

例の金の話だ。すかさず信定は答えた。ためらえば疑いを招くこと必定だった。

「美濃金《みのきん》持ち出しの件なれば、まったくの事実無根。天地神明に誓って、拙者は金銀を私するような真似は致しておりませぬ。恐らくは安土退去の折り、光秀に見せたくないものを処分するために大量に拙者が書類を持ち出したことを、誤解されたのではないかと存じます。殊《こと》に、お屋形さまと高松攻めの最中の、殿との間の往復書簡などは、光秀に絶対に見せてはならぬ物と心得ましてございます」

その後の天下の情勢を知らない信定としては、持ち出した五つの木箱については、ここは知らぬ存ぜぬを通すしかないと、自分に言い聞かせた。その防衛のためには、秀吉の唯一の弱みを匂わすに限る。それが高松攻めの折りの秀吉からの援軍要請の書簡だった。ほとんどが秀吉の嘆願や泣き言に近いものであることを知るのは、今では自分一人の筈である。

果たして秀吉の顔に、かすかながら動揺が見えた。効果があったのか、秀吉はそれ以上の追及を明らかにためらった。

「そうか、そうであろうの。そなたが金銀への欲の全くない男であることは余も十分に承知しておる」

秀吉は、利家の同意を求めるように、横を向いて言った。

「それに、たとえ持ち出したとしても、大の男の二人や三人が持ち出す金銀など、今の余にはたかが知れておるわ。わははははは」

最後は笑いにまぎらせて、ぎくりとするような捨て台詞《ぜりふ》を吐いた。

「では、最後の話じゃ。今後のそなたの身の振り方だが、どうする」

「さて、今日の今日のことでござれば……」

信定は正直に答えた。まず天下の形勢を摑まなくては、という気持ちが込められている。

「だがな、余は忙しい身じゃ。これからすぐ京に向かって立つ。そなたとは今後なかなか会えぬと思う故、ここで決めたいのじゃ」

「と、申されますと……」

「余の片腕の三也（石田三成）が、そなたの文才を惜しんで申しておる。このままそなたを野に置けば、いつ信孝の残党に、あらぬ噂の金銀の話をぶりかえして狙われるやも知れぬ、とな……」

信定を見る目に、ぞっとするような皮肉が込められていた。

「それゆえ、余の元にぜひとも引き取れというのじゃが、どうだ。ずばり言うが、お屋形さまの安土城当時の二倍の処遇で余に仕えぬか。そなたが書いておるお屋形さまの伝記もよいが、余のこれからの事績のほうが、もっと面白いものになろうぞ。余の元でそなたの健筆を縦横に揮《ふる》ってはくれぬか。これは、そなたをここまで守ってきた余への返礼と取ってもらっても一向に構わぬが……、それでも嫌か」

最後は脅迫に近かった。それより驚いたのは、信定が信長さまの伝記を書いている事実を秀吉が既に知っていたことである。

ということは……？

信定は、はっとなった。今朝、能登を立つ時、あの老人と老婆が消えていた意味が、ここで初めて解った。あれは口も耳も不自由な男女ではなかった。秀吉の回し者だったのだ。

「仰せに従いまする」

信定はそう言わざるを得なかった。

「それでよいのじゃ」

秀吉は大きく頷くと、すかさず利家に命じた。

「又左、この松任屋敷は気に入ったぞ。又介をしばらくここで静養させてやれ。そして余の賤《しず》ヶ岳《たけ》の勝家との戦いぶりや、小姓たちの七本槍の活躍などを語って聞かせるのじゃ。余の物書きがいつまでも今浦島では困るからの」

からからと腹の底から笑った後、信定には「間もなく信長公の一周忌を京の大徳寺で行うゆえ、頃を見計って上洛せよ」と命じて、そそくさと消えた。

信定は、思いがけない秀吉の出現と、その会見が自分の完敗に終わったことを、改めて認めざるを得なかった。

第二章　市中の隠・太田牛一

1

夢の中で何度も遠い山鳴りを聞いた。

それが不意に耳元に近づき、呻《うめ》くような地鳴りに変わったと思った時、太田牛一《ぎゅういち》（信定改め）の浅い眠りは一瞬に消え、天地が弾《はじ》け飛んだ。

急造の伏見城下の、安普請の警護役屋敷である。見栄えはいいが内実は天井も、床も、壁も、意外なほど脆弱《ぜいじゃく》な出来だった。地震の最初の一撃で、薄い杉の床板はあっという間に捲《ま》くれ上がり、屋敷はずるりと滑り落ちるほど傾いた。

牛一は寝所を転げ廻りながら、途中で両肘を思いきり張り、危うく踏み止まった。

十年前に伊勢で、昔の伊勢御番衆（近衛兵）の記録を写本している最中に地震に遭《あ》った時の経験が生きていた。

（あの時のほうが、もっと激しかった）

無意識の比較感覚は、その後の自制力に繫《つな》がった。慌てるな、落ち着けと自分に言い聞かせるうちに、どこからともなく漏れてくる月明かりに気づいた。薄明かりを透かして寝所の片隅に折れかけた杉柱の狭い空間を見つけ、身を捻《ひね》って潜り込んだ。口に、鼻に、容赦なく壁土が降り注ぎ、息が詰まる。

（だが、ここも次の衝撃で潰れる。早く抜け出さねばならぬ）

頭上にぶら下がる天井板を見て咄嗟《とっさ》に判断した。決心すると、次に二間ほど先に縁側に通じる付《つけ》書院を見つけ、蹴破って辛うじて這い出した。その時、内法長押《うちのりなげし》でしたたか左肩を打ったが、その他は五体無事だった。肩の痛みを堪えて起き上がり、前のめりに屈《かが》みながら広い前庭に飛び出した。

再び大地が二度、三度と地鳴りの号砲に揺れた。崩れるように老松の根方に這いつくばり振り返る。それと、ほぼ同時だった。今しがた抜け出てきたばかりの屋敷が、轟然《ごうぜん》たる土煙を上げて倒壊した。

（関白の祟《たた》り、まさか！）

口に飛び込んでくる濛々《もうもう》たる砂塵を、松の幹に向かってペッペッと吐きながら、牛一は、ふと今朝の城中を思い出した。

この年（文禄五年）閏《うるう》七月に入って間もなく、豊後《ぶんご》は激しい地震が続いているという。その知らせが竹田城主の中川秀成から伏見城に届いたのは、つい今朝がたである。噂はたちまち城内に広まったが、誰もが頷くだけで無関心を装った。太閤にもまだ報告はしないで措《お》くのだと聞いた。

遠い豊後の出来事だからではない。昨年七月、高野山に蟄居《ちっきょ》中の関白・秀次が、太閤の命で恨みを呑んで自裁した。それから一年内に必ず祟りがあるとの噂が伏見の町中でしきりだったが、関白の一周忌（七月十五日）は何事もなく過ぎた。だが今年は閏年、七月が二度だから、まだなかなか油断できぬ、とは警護の下役たちが今朝も話題にしていた。その矢先の地震であった。

牛一は、大きく一呼吸して空を見上げた。意外に明るかった。十三夜の月がまだ中空に残っている。あの月の位置なら、時は亥《い》の下刻（十一時）前のはずだ。とすると、いつものように書見を済ませ、床に就いてから、まだ一刻（二時間）とは経っていなかろう。

（まだ余震が来る）注意しながら、次は風の方向を見定める必要があった。風の下《しも》手《て》は危険だが、上手《かみて》だからといって安心できない。火事は渦を巻いて燃え広がる癖がある。燃える箇所と風の方向を結ぶ線で、左か右、土地が低く傾斜する方向を選ばなくてはならない。

一体、風はどちらに向かって吹いているのだろう。確かめようと立ち上がり、赤い月明かりを頼りに、そっと周囲を見回した。やがてゴーッと地の底から吹き上がるような唸りと共に、また大地が鳴動した。どれほど激しい揺れになるのか、歯を食い縛り、鳴動に耐え、唸りの過ぎ去るのを待った。この時の衝撃で、門柱、門扉が完全に視界から消え、転がっていた卯建《うだち》も全て崩れ去った。

幸い、周囲には火の手の上がった様子はなかった。ひとまず類焼の恐れはないと思い、裏に廻って思わず目を見張った。屋敷の続きに自費で増築した、牛一自慢の離れ書院が影も形もない。目に入ったのは盛り上がった小山のような土砂ばかりである。

(そうか、書院の裏土手が崩れたのか)

微かに苦笑する余裕があったのは、山抜けされても書院の自製の書庫だけは壊れない、という確信があったればこそである。

十年前の伊勢地震の経験から、元伊勢氏の図書執事だった古老に、書庫造りの知恵を授かった。側近当時の大坂城の拝領屋敷に隣接して造ったのが最初である。伏見は地盤が弱いと聞いて、四隅に石を積み、それに沿って太い樫《かし》の柱を立て、厚い樫板を組み込んで全体に渡した。内部の床の上下左右には、隈《くま》なく木炭を敷き詰め、もう一度、桐板で覆った。新工夫は、棚を蔵書の大きさで、高さと段数を好きなように変えられるよう、塡《は》め込《こ》み式としたことである。

この書庫は堅牢で湿気に強い。手間暇は掛かったが、虫食いの被害が少ない。土用の虫干しも三年毎で済む。どんなに執筆が多忙でも、その日に用済みの古文書、草稿類は、たとえ近くに他出する時でも一旦はここに収める。今宵もそれを守って床に就いた。

(明日の掘り返しに手間がかかるが、地震ではやむを得まい)

納得すると、しばらくの間、見る影もなく倒れてしまった庭の灌木《かんぼく》の残骸を呆然と眺めた。この頃から辺りが急にざわめき始めた。

城の大手口に通じる石畳道がいつの間にか軍馬と幟《のぼり》で埋まっていた。あちこちに松明《たいまつ》が灯り、全てが指月《しげつ》の森の伏見城本丸に向かって慌ただしく動いている。

――我こそは有事の時の太閤殿下第一番のお守役――

大名たちのそんな忠義芝居の競演であろう。だが、今の自分は、今年ようやく解放された隠居の身。新しい隠居所も密かに別の場所に建ててある。明日にも伏見を去って落ち着くことができる。太閤がどうなろうと、知るところではない。それより、

（秀吉め、これで往生せぬか。ならばこの地震「関白地震」と呼べるに）そのほうが地震の記録の表題として遥かに刺激的なものになろう。既に意識は半分まで、物書きの自分に戻っていた。

牛一は土砂に汚れた衣類の埃《ほこり》を叩き落としながら、密かに夜陰を透かして伏見城を振り仰いだ。

日頃は夜目にも輝いている太閤自慢の天守閣の金箔瓦層《きんぱくかわらそう》が、どこにも見えない。城の下層からは、あちこちで火炎と白煙が上がっていた。壮麗を誇った石垣も、ほとんど崩れ落ちたようだ。

（となると、太閤は……）ふと思ったのは、これで太閤が圧死してしまえば、これからは何の気兼ねもなく物が書ける。自分の物書きとしての独立には願ってもない快事という、不遜《ふそん》な解放感である。

この夜、牛一の頬は、城の炎上が止めどなく拡がる中で、火の粉混じりの強風を楽しむかのように、いつまでも緩《ゆる》みっぱなしであった。

越前松任《まっとう》の会見で秀吉に仕えることになって以来十三年、晩年の牛一は、目の不自由になった側室・松の丸殿の警護役などの軽職を兼ねながら、もっぱら秀吉の事績の記録者となり、巧まざる宣伝者ともなった。

『大かうさまくんき』がその一つである。

だが、太閤への追従本《ついしょうぼん》を書かされる心中は、決して穏やかではなかった。太閤が自分の自慢話ばかりでなく、なぜ共通の主君・織田信長さまの事績を書き残すことを許さないのか。

あれほど信長さまのご愛顧を受け、しかも、その権力をそっくり継承した男がそれでいいのか、という内心の不満が信長さま贔屓《ひいき》の牛一には拭い切れない。それに、いくら生来の上淫好みとはいえ、信長さまの娘（三ノ丸）と姪（淀の方）、更に信長様の弟信包《のぶかね》の娘（姫路殿）の三人を妾にする秀吉の厚かましさ。逃げられたとはいえ信長様の二女冬姫さま（蒲生氏郷の未亡人）にまで手を出したというではないか。

一方その側室の警護役に甘んじる自分にも、年齢と共に自己嫌悪が募っていった。

書きかけの『大かうさまくんき』『豊国大明神臨時御祭礼記録』その他の完成を、隠居を理由に、助手として使ってきた、お伽衆《とぎしゅう》出の大村由己《ゆうこ》に一昨年春に引き継いだのも、信長さまの伝記を密かに纏《まと》めたいがためであった。

由己は、かねてから太閤殿下の記録を自分の手で書きたがっていた。それもあってか、牛一の引き継ぎの申し出に「願ってもなきこと。このご恩は生涯忘れぬ」と、涙ながらに礼を言われたのには、いささか面喰らった。

（そこまで、あの太閤にお肩入れか）

口元まで出かかった感嘆と皮肉を、慌てて呑み込んだものだ。

ところが昨年八月、由己が太閤の許しも得ずに伏見を去り、大坂に隠棲した。表面は六十歳を迎えての隠居と称したが、誰も素直には受け取らなかった。

それまでの由己は、太閤の命で書き綴ってきた『天正記』の名声によって、太閤のお覚えが日増しに募っていたが、この勝手な行動で一挙に信任を失った。主著『天正記』は九巻で中断され、その他の、一見して無関係と思われる謡曲作品の類まで、現在では写本も事実上禁止の沙汰を受けている。その由己が、今年五月に大坂天満《てんま》の家で急死したのも、またまたの驚きであった。

最近は脳を病んでいたという。自分が代筆を頼んだ『大かうさまくんき』その他の執筆は、どうなっているのか。もし、その執筆が、自著である『天正記』に加えての重荷となっての病死だとしたら……内心、忸怩《じくじ》たる思いがする。と、同時にこれは他人事《ひとごと》ではないと真剣に思った。

牛一は九歳も年上である。いつ自分も由己の二の舞いになるかわからない。信長さまの十七回忌に当たる文禄七年（慶長三年）までに、どうしても信長さまの伝記を書き上げたい。この決心を、今宵、地震に生き残れた自分の強運と重ね合わせて改めて思い起こした。

翌早朝、今年の春で暇を出した使い男二人が駆けつけてくれた。年寄りのほうは近隣の百姓に戻ったが、若党の才蔵はお伽衆の佐々木四郎の所に移り、今もそこで働いている。加賀で佐久間盛政の手にかかった直助の縁者であり、同じ甲賀の忍びの出である。城の事情通でもあった。

「やはり太閤殿下は常人ではあらせられませぬ。あの城中の大混乱の中、掠《かす》り傷《きず》一つ負われなかった由にございます」

心底から喜ぶ才蔵の邪気のない顔を、密かに舌打ちしたい気持ちを耐えながら

「それは御同慶のいたり」と、あっさり躱《かわ》すと、牛一は訊ねた。

「して、城に駆けつけた一番手の武将は誰方《どなた》だったな？」

このほうが鳥撃ちの時の猟犬同士の競いを見るようで面白い。

「それが、思ってもみないお方で……かねて蟄居《ちっきょ》されていた加藤清正様。町中はこの話で持ちきりでございます」

してやったりの清正の忠義面と、遅れを取った三成の苦虫を嚙みつぶしたような顔が牛一の脳裏を交錯した。このどちらにも一番登城の功を取ってほしくなかった、というのが正直な気持ちである。

「そんなことか」牛一は口を膨らませると、ぷっと唾を吐いた。

「殿様は面白くありませぬか」才蔵は怪訝《けげん》な顔をした。

「それではまるで《人間万事塞翁《さいおう》が馬》という坊主の教訓話じゃ」

「何でございますか、その、さいおうとやらは」

「よい、よい。いずれこの話、『地震加藤』などと呼ばれて、世上で持《も》て囃《はや》されることになるが落ち、と言いたいだけじゃ」

牛一は苦笑いして逃げた。

加藤清正。肥後半国二十五万石を与えられ、熊本に居城を持つ太閤の子飼い大名の一人である。朝鮮出兵中に、太閤の寵臣・石田三成と不和になり、太閤の勘気《かんき》を被って帰国を命ぜられ、目下蟄居中であった。石田三成の小賢《こざか》しさは好きになれぬが、加藤の忠義面と粗野な長い顔も少々鼻につく。太閤の目の届かない朝鮮では、毎晩のように町中で女捕《めど》りし、放埒《ほうらつ》の限りを尽くして日本国の評判を落としたという。そのせいで唐瘡《とうがさ》（梅毒）ならぬ朝鮮瘡を背負って帰ったとは、お伽衆の専《もっぱ》らの噂である。

「さて、無駄口はそのくらいとしよう。そなた等の留守してくれる間に、拙者、ちと松の丸様を始め、世話になった方々のお見舞いがてら、再度、隠居の挨拶に廻ってきたいが、よいかな」

「承知しました。その間、我々で屋敷の片付けなどいたしておりますので、お気をつけて」

一礼すると、才蔵は素早く身繕《みづくろ》いした。忍びの者の過去をさっぱりと捨て、今は若党に徹した男の姿勢に牛一は好感を持っている。

「そなたが来てくれて大助かりじゃ。男の一人所帯ゆえ、母屋にはほとんど目ぼしい物はないが、頼みたいのは書院の書庫じゃ。山抜けで埋まってしまった。その掘り起こしを是非、頼む。そのうち、いつもの通いの水仕《みずし》婆も参るだろう。したたか者じゃから、このくらいの地震で死ぬことはない。生きていれば必ず来て、炊き出しや湯茶の用意などしてくれる」

そう言い残して、急ぎ見舞先を廻った。

半刻ほどで牛一は倒壊した自分の屋敷跡に戻った。

案の定、屋敷の庭には急造の筵座《むしろざ》が設けられ、水仕婆が作って来た茶飯と山菜の煮物、なめ味噌、それに加えて城中から配られた赤米の屯食《とんじき》が、山のように置かれていた。牛一は、庭先に老婆の姿を見つけると、

「婆、よう来てくれた。まるで物見遊山の豪儀さじゃ。礼を言う」

おいおいと泣いて無事を喜ぶ婆をひとしきり抱きかかえた。伏見に来てからの雇いだが、身寄りの薄い分、情が深いのかも知れない。

やっとのことで老婆が離れるのを待って、牛一は並べられた食事を片端から平げた。年齢に似合わぬ健啖《けんたん》である。腹ごしらえすると、牛一は男衆二人と書院の土砂、瓦礫《がれき》の払い除け作業に加わった。

昼過ぎには書庫の掘り出しを終えた。

「助かったぞ。厚く礼を言う。後は蔵書、古文書の整理ゆえ、一人で気ままにやるでな」

書庫の扉の閂《かんぬき》を小開きにして中に入り、勝手知った小さな納戸から、小粒銀の数枚を出し、三人が目を丸くするほどの礼金を弾んだ。書庫の存在と内容の口止め料

という意味もある。

やがて男衆等が去ると、周囲に人気《ひとけ》のないのを確認してから、書庫の入口の樫の扉の門を大きく開いた。途端に昼の陽光が勢いよく飛び込み、内部を照らし出した。広さは幅、奥行き共三間。安土時代まで持っていた鏑矢《かぶらや》左前の家紋入りの具足櫃《びつ》、唐櫃《からびつ》などは安土城と共に焼けてしまって今はない。その分、中央と両側にも広さ一杯に書閣を置けるようになった。

手燭に明かりを灯して棚の隅まで点検した。信長さまの側近になって以来三十年余り、秀吉に仕えるようになって一段と実入りが良くなり、金に糸目をつけずに稀覯本、古文書を集められるようになった。すべて無事だった。能登で書き始めた信長さまの伝記の筋書き草稿、その覚書、関係史料等の束は、軽いために棚から落ちて散らかっていたが、これも問題なさそうだった。

（肝心のあれは、どうなったか？）

奥の左の隅に、古胴着に包んである例の五つの木箱。これも無事。十四年前、尾張成願寺に蔵して以来、大坂、伏見と転々とする中で、主のないまま一人で守り通してきた物だ。すでに鉄鋲に錆《さび》がでて古ぼけているが、今も箱は頑丈そのものである。

密かに大枚を投じ、大坂や伏見で頑丈な書庫を造ったのは、この五つの木箱を隠して置く場所造りの意味を兼ねていた。一箱ずつ両手にずしりと重い感触を確認すると、牛一は晴ればれとした心情に戻った。

（これでよし。全て今夜中に荷作りして、明日はここを出発する。地震の混乱の中のほうが却《かえ》って人目につかぬだろう）

新しい隠居所に移ったら、今度こそ偸安《とうあん》を貪《むさぼ》るまい。ひたすら信長さまの伝記の執筆に打ち込むとしよう。この五つの木箱にまつわる信長さまのご本心も、その中で洗いざらいぶちまけたい。皆、それには驚愕するだろう。歴史の叙述が変わるに違いない。

そうだ！　そこには、本能寺で亡くなった信長さまのご遺骸が、どこに消えたのか、この謎解きも是非加えなければならない。誰もが不思議がるくせに、誰も首を傾《かし》げるだけで、それ以上は触れようとしない。これも二重の不思議だった。今、考えても悲しみと怒りがこみ上げてくる。

牛一の怒りの矛先《ほこさき》にいつも浮かぶのが太閤秀吉である。

本能寺の変の後、美濃金横領の疑惑を受けた自分を守ってくれた義理はある。物書きとして過分の禄で召し抱えてくれた恩義もある。

だが、牛一が能登幽居中の天正十年十月、秀吉が織田家一族を差し置いて、大徳寺で勝手に挙行した葬儀は全くの茶番劇だった。肝心の信長さまの棺《ひつぎ》の中は、ご遺骨不明のまま、代わりに焼いた木像の木灰だったという。この棺を乗せた御輿《みこし》の前を、池田輝政、後を信長の四男・羽柴秀勝が担ぎ、位牌と太刀を秀吉が持った。葬儀の行われた大徳寺周辺までの町屋一帯の路地には、弓・箙《えびら》・鉄炮を立てた警護の武士が三万、隈なく配置されていた。一方、動員された五山を始めとする洛中、洛外の僧侶は五百人に及んだとは、大村由己の残した記録にある。

――まこと極楽浄土に五百の阿羅漢《あらかん》、三千の仏弟子がいる様を目前に見るようであった――

由己は『天正記』に、この葬儀を大層な賛辞を添えて描写した。

だが二人とも、この葬儀の信長さまのご遺骸がただの木像の灰だったことを知らなかった。知ったのは、牛一が秀吉の呼び出しを受けて参加した大徳寺の一周忌を控えた前日、相国寺慈照院の諸将の合同宿泊の時である。

耳打ちしてくれたのは、池田輝政の家臣の一人。他言無用を絶対条件に教えられたのは、この事実を知った大徳寺の百十七世住持、捴見院開祖古渓《こけい》宗陳が怒りのあまり、新たに信長さまのために建立を予定した天正寺の造営を拒否なされた――という噂もある。当時秀吉の元に仕官したばかりの新参の牛一には調べようもなかった。だが、間もなく古渓宗陳が秀吉の命令で大宰府に流された事実が、このご遺骨不在の信憑性《しんぴょう》を間接的に裏付けるものとなった。

以後、豊臣秀吉が天下を取ってからは、信長さまのご遺骨の行方は一切人々の口の端に上らなくなった。既に終わったこと、今さら言い出すのは、あれほど立派な葬儀をされた太閤様に御無礼ではないか。誰もが太閤の威風を恐れ、その鼻息を窺った。

(だが、俺には関係ない。信長さまのご遺骨の行方を探り出すのは、俺に残された最後の使命だ。それを果たすまでは、絶対に死なぬ！　信長さまのためにも……)

心に誓うと、思い余って牛一は慟哭《どうこく》した。その涙は、書庫発掘で汚れた顔一面の泥を洗い流し、止《とど》まるところがなかった。

2

牛一の新しい隠居所は、大坂は天満。商都の真ん中にある。既に書庫も隣接して完成していた。非番の度に密かに下坂《げはん》しては二年あまり掛けて、こつこつ一人で組み立てた書庫で、町中とあって更に一段の工夫を凝らしてある。

天満隠居所の所在は、ごく内輪の者にしか告げていない。過去の一切を捨て、できれば別人として執筆に専念したかった。ここでの触れ込みは、あくまで越前松任の薬種商《やくしゆしよう》の隠居、連歌と旅好きの風流人である。既に町衆にも、それで届けた。号は吉風《きつぷう》。信長さまの幼名の吉法師から一字を戴いた。故郷尾張の成願寺をやめて、天満の地を選んだのは、文筆の神、菅原道真の天満宮の近くに住みたかったこともあるが、商都の雑踏の中のほうが「市中の隠」で、却《かえ》って人目につかないためである。調べ事があって不意に旅に出るにしても、水路、陸路に何かと至便であり、留守になっても、周囲の目があるから隠居所の警備に不安が少ない。何よりも働き盛りの、したたかに生きる商人達の、活気と息吹を共有できることが、老後の長生きの秘訣と思った。

信定の名前を棄てて若い時からの家中のあだ名であった「牛一」をあえて名乗ったのも、牛の涎《よだれ》のようにすこしでも長生きして、この愚かしい世の末を見定めたい、これを記述に残して、已が筆名を残したいという野望故である。その「牛一」もここでは棄てた。

唯一の欠点は、隠居所の三町ほど先に、信長さまの二男・織田信雄《のぶかつ》が邸宅を構えたことである。後から建てられたので仕方がないが、牛一は、この不甲斐ない信長さまの二男が嫌いである。行き来しなければ済むと割り切るしかない。

新居の整理が一通り済むと、手土産を片手に、早朝まず由己の遺族を訪ねた。牛一の隠居所から三町ほど離れた、ややごみごみした町屋街にある借家風の小さな家である。ひっそりと行われた三月前の葬儀に出席したことで所在は知っている。

（なぜ、不意に伏見を引き払ったのか。この牛一に先立って同じ大坂天満に、なぜ移り住むようになったのか）

途中で代わって執筆を依頼した『大かうさまくんき』その他の、その後の行方も気に懸かったが、不意の伏見からの脱出と急死のほうが更に気になる。この疑問を、まず晴らさねばならない。

こぢんまりした家は、形ばかりの生垣塀と小さな樫の門を備え、入口を潜《くぐ》ると正面に安普請の上がり框《かまち》がある。

「御免」と声を掛けると、若い女が顔を出した。若後家となった由己の後妻である。牛一の姿を見覚えていたのであろう、あっと小さな声を上げた。

「いや、驚かせてすまぬ。早朝で申し訳ないが」

牛一は、二人の合作である未完の『大かうさまくんき』の草稿の返却を依頼した。もっとも、これはあくまで訪問の口実に過ぎない。

「ごもっともでございます。忙しさにかまけ、そのままにしておりましたが、今も、しかと仏前にお預かりしてございます」

若後家は納得顔に落ち着きを取り戻した。

「ご迷惑でなければ、その仏壇にご焼香も。よろしゅうござるかな」

「ちょうど仏間のお掃除を終えたところでございます。亡き主人も、さぞ喜びましょう」

仏間では十歳くらいの小柄な男の子が一人矢絣《やがすり》に黒のしごき帯を締めるだけの質素な姿で控えていた。先妻の子であろうか、子供ながら、色白の鼻筋の通った面長な顔は今の内儀には似ていない。その目は真っ直ぐに牛一を見上げていた。

「跡取りの正之助にございます」という内儀の声に続いて、

「正之助にございます」と少年は反復し、型どおりの挨拶を終えた。

「父君に似て、利発そうなお子よ。よい跡取りをお持ちじゃな」

若い内儀と、家の割りに大きな仏壇の由己の位牌を等分に眺めながら、世辞でなく本音を言った。

牛一は、故郷尾張の息子たちとは相変わらず疎遠のままである。

「ありがたきお言葉」

後ろに従った内儀は深々と頭を下げた。焼香が終わると、牛一は内儀と正之助を手招いた。余計なことかも知れぬ、とは思ったが羽振りの良かった伏見当時からの変転の経緯が知りたかった。

「実はな、ご内儀」

内儀はぎくりとしたように顔を上げた。美形だが化粧も薄く、三十路そこそこの筈だが、顔の所帯窶《やつ》れは隠せない。

「こたび、これを拙者、持ち帰り、改めて完成させようと思うのじゃが、よろしゅうございますか」

「それはもう……亡き主人も、お頼まれしたのに相済まぬことと、最後まで申しておりました」

「由己殿は、いつ頃まで、この執筆をお続け戴いたのであろうかな」

「伏見では昨年夏までは毎日、毎晩でございました」

「こちらに来られてからは？」

「全く人が変わったように手付かずのままに。自分の続き物の『天正記』も、その頃書いていた十巻の途中で放り投げてしまいまして」

「昨年の葉月《はづき》（八月）、何か兆候でもありましたか」

「まだ暑い盛り、確か、月の初めでございました。真っ青な顔で三条河原から立ち戻ると、そのまま書院に入り、ずっと天井を睨み続けておりました。その三日後、夜遅く、伏見を夜逃げ同然に出て参りましてございます」

「やはり、あの事件が原因かの」

「さように思われます。何しろ、あの激しい気性でございましたから」

元は五山系の儒僧上がりである。早くから秀吉のお伽衆の身分を脱し、筆一本で生きようと努めていた。それだけに文章も達者で、ぞっこん惚れ込んだ太閤賛美の文章は、やや過剰表現だが、同業の自分から見ても惚れぼれするほどの美文だった。そんな男が、昨年七月の関白秀次公の高野山追放から様子が変わり、すっかり鬱《ふさ》ぎ込《こ》むようになった。

由己が真っ青な顔で三条河原から戻ったという内儀の話は初めて聞いた。昨年八月二日、太閤が秀次の妻子寵妾を三十八人も惨殺した時に違いない。それまで尊敬してきた秀吉が、武士ならともかく、女子供にまで残酷な人物だったことが、由己には許せなかったのであろう。この落差が由己の自嘲と遁走に繋がったことが、ようやく呑み込めた。

「で、こちらへ来てからは、何もなさらずにおられたのか」

「いえ。よくは分かりませぬが、一人ぶつぶつと呟きながら、何やら書くことだけは毎日、続けておりました。秀次様を題名に戴いた謡曲なども、あったやに思いましたが」

「ほう、秀次様を主人公にしたものかな。是非拝見したいものよ」

「それが……葬儀の後、わらわの留守に、その一切が消えましてございます。この子も、近所の寺の手習いで不在でした」

「盗まれたと申すのか！」牛一は思わず声を震わせた。

「はい、書き物、古文書ことごとく。しかし太田様の草稿だけは、仏壇の奥に置かれていたため、幸い狼藉《ろうぜき》を受けずに済みました」

「後の品物などは」

「金銭なども一切、消えましてございます。主人は財のほとんどを伏見に残しておりましたが、同じ頃、あちらでもことごとくを没収されましてございます」

太閤の手の者の狼藉に間違いない。盗まれた謡曲が、もし秀次を主題としたものなら、もしかすると『吉野詣』『高野詣』に並ぶ由己の三大傑作になったかも知れない。おそらく内容が太閤の逆鱗《げきりん》に触れるようなものだったのだろう。

「気の毒なことをなされたな。重ねがさねのお力落としでござろう」

物書き一本で生きてきたために、扶持《ふち》も少ない。あるいは、それも取り上げられたのかも知れない。先立つものが必要なようだ。

「事情はよく分かり申した。急遽、短時日でこれを完成しましょう。幸いこの一年、由己殿の手で、二つほどは完成しており、一つだけは未完だが、草稿は九分どおり進んでおります」

他の『臨時御祭礼記録』『公家双紙』などは、太田牛一の集めた史料を巧みに活かして既に完成していた。『大かうさまくんき』だけが、まだかなりの加筆を要した。

「早速に書き上げましょう。それを是非とも由己殿の『天正記』の別稿の形となさるがよかろう。以後の換金などの諸手続きは、拙者にお任せあれ。それには別の意味もござる。これは元々が太閤様のお囃子《はやし》本なれば、これを太閤様の関係者が読めば、大坂に籠もられてからの由己殿に、決して他意のなかったことが一目で分かろうというもの。これで今の由己殿の『天正記』の写本禁止も解けるかも知れませぬ。

伏見城のご書蔵方は購入を避けるであろうが、その時は、世の好事家をお世話しよう。世間には、この種の原本集めを趣味とする好事家が沢山おられる。この写本でも世の太閤様人気を考えれば、間違いなく高く売れましょう」

それで若後家も安んじて生きられる。これが志半ばで逝った後輩・大村由己への牛一のせめてもの供養のつもりだった。

「でも、それでは、あまりにも虫が良すぎまする」

牛一の申し出に、ひたすら若後家は恐縮するばかりだった。

「拙者のことなら、放念されよ。これから書き上げる信長さまの伝記がある。それだけで実入りは十分じゃによって」

ただの若後家への気慰めである。信長さまの伝記は、『大かうさまくんき』ほど高くは売れない気がした。信長さまは町衆に人気がないのだから仕方がない。だが、それでも自分は構わない。牛一は病身の妻を早く失い、一人、気ままなやもめ暮しである。財を息子たちに残す気はない。代わりに末代に名を残したい。この伝記が、これから何十年、何百年後の世に評価されれば、それで良い。その時、自分は地獄、極楽、そのどちらにいるかは知らぬが、そこで自分の伝記の評判をそっと一人で聞きたい。野心はそれだけである。

「二月ほど待ってはくれぬか。悪いようにはせぬ。吉報を待たれよ」

「申し訳ありませぬ。よろしくお願い申し上げます」

「ところで、跡取りの正之助殿だが、今いくつになる」

「十二歳にございます。父同様、小柄でひ弱なのが気掛かりで」

「まだ身体は、これから育つ。目付きなどは由己殿そっくりじゃな。そなた、何になりたい、正之助」

正之助が前に進んだ。きりりと結んだ口元に小柄だが、どこか親譲りの利かん気が漂っていた。

「お武家様になりとうございます。それも、一国一城の主に」

「お父上のように、筆で立つ気は全くないかな。武は一代、文は末代が、お父上の口癖だったが……」牛一はゆっくりした口調で諭《さと》すように訊ねた。だが、

「真っ平でございます」正之助は激しく頭を振った。

その頑《かたくな》な拒否の姿勢は、父の筆禍事件の影響か。牛一は苦笑いするしかなかった。ちらりと最初に見た時、もし父親のように文を好む子であれば、自分の仕事を手伝わせながら、行く末は著述家に育てたい。それが亡き由己への供養にもなろうか、と淡い期待を持った。それが物の見事に裏切られた感じである。

「そうか、やむを得ぬ。では、最後に聞きたいのだが、ご内儀、この拙者の選んだ天満を、由己殿は、なぜまた追いかけるように選ばれたのであろうな」

「かなり前から太田様の後をつけていって、隠居所の在《あ》り処《か》を知ったのでございます。『自分もできれば近所に隠居所を建て、太田様に信長公の悪口ばかり言ってきたお詫びがしたい』と申しておりました。老後は太田様のお手伝いができればなどとも。夜逃げ先も、その夜、最初から天満と決めました。ここは借家でございますが、いずれは、自分の家をと……」

「そうだったのか。そうとも知らず、拙者、隠居所を秘密の隠れ家と自惚《うぬぼ》れていたわ。まあ、良い。拙者も、由己殿が生きておられて、信長さまの伝記書きを是非手伝うてほしかった気がする」

「大層なご著作なのでございますか、それは」

「拙者の構想どおりになればな」

ちらり、新しい書庫に入れた五つの木箱を思い出した。今度は石組みの間に、そのための秘所を工夫して収めた。あれなら、誰にも見つかることはあるまい。預かった木箱の話は信長さまの伝記にどう加えたらよいものか……心は既に、そこに飛んでいた。

3

天満の隠棲の最初は、思いがけない成り行きから『大かうさまくんき』の執筆に戻るという予定外のことで費消《ひしょう》された。これは最後の浮世の義理と割り切る他はない。それもあって、執筆はほとんど殴り書きに近い。

——たいかうさまのみよ、そのこよけい（御余慶）あまり、金銀さんや（山野）にいすみ（泉）のこと（如）わきいて（出）て——

といった軽いのりの文章を書き並べて、完成したのは、およそ二カ月後である。遅筆の牛一としては異例の早さで済ませた。

完成すると、早速、仲の良い伏見の御書物同心の一人に事情を話しに行った。縷々《るる》説明したが、やはり大村由己の名では無理であった。やむなく自分の著作に戻し、内実の共著料名目で、全額を由己の内儀に手渡した。予想以上の大金となった。

（これで当分の家族一切のたつきは万端遺漏《いろう》なくできる）

こうした一切の手配を終わった時、既に十月に入っていた。だが、まだ腰を落ち着けて書くには到らない。雪の季節の到来前に、密かに行っておかねばならない所がある。いくつかの場所について、自分の感触を、再度、改めておかなければ確信を持って『信長記』が書けそうになかった。

　この一年、頭の中で構想した信長さまの伝記は三部から成っていた。側近としてお仕えしていた時代を記述する『信長記』（永禄十一年から天正十年）と、その前後の記述――仮称を『信長前記』『信長後記』としている――である。中心となる『信長記』は当時の自分の克明な日記と同衆の記録の写しがあるので、さして記述に困難はない。だが、これだけでは物書きとしては物足りない。自分の筆力、空想力の翼を存分に駆使して描くことのできる箇所がどこにもない。それが、この一年、側近になる前後の物語を書き加えたいという牛一の野望となって膨れ上がっていった。由己の内儀に大層なものになると言ったのは、そのためである。

　その一つ、『信長前記』の時代は、自分が弓衆の武辺者であったから、手控えなどは一切持たない。代わって、何度も清洲を訪ね、成願寺を拠点にして、古老の話を聞き集めた雑史料が手元にある。その他に地元の清洲に住む史料収集家を使って、今も当時の古文書集めを続行している。いずれ、これを基に、自分の知らない、若く凜々《りり》しい時代の信長さまを、自分の理想像に従って描く積もりだった。

　金は掛かるが、筆には自信がある。だが、「本能寺の変」を巡る織田家周辺の事情を扱う予定の『信長後記』は未着手で、全くの史料不足だった。これには信長さまの死にまつわる幾多の疑惑もある。信長さまからお預かりしている〝あの汚れた五つの木箱〟も重大な関係があった。太閤が死ぬまでは公表はできないが、この疑念を自分の達者なうちに是非とも自分の手で解明しておきたい。天満の隠居所の、雪の季節到来前の仕事にしたかった。

急ぎ、旅支度を整えた。二日ほどの日程である。

牛一が、頭に黒木綿の頭巾、身を厚手の道中着に包んで天満を出たのは十月九日。背には最小限の旅の資料の束と筆、矢立を、手には仕込み杖一本を護身用に握っていた。

船で一旦、京に上り、その日、陽は高かったが、敢えて町中の町人宿に名を秘して一泊した。誰に見られるか分からない、誰にも知られたくない旅の目的がある。

翌朝、満天に星を戴く頃、密かに宿を出た。提灯《ちょうちん》も点《とも》さず、足早に向かったのは四条坊門の本能寺跡である。一帯は、天正十九年の秀吉の京極通東への寺の強制移転策により、今は町屋と化している。昔の風情は全くないが、何度となく信長さまと同道した経験があり、寺に泊まり込んだ過去の記憶も鮮明である。目を瞑《つむ》れば過去の本能寺の堂宇《どうう》は目前に再現できた。寺の規模は方四町を公称したが、実際は東西一町、南北二町しかなかった。当時の巨刹《きょさつ》群立する京ではきわめて小寺である。創建は応永二十二年（一四一五）だが、西洞院と小川との間に移転したのは天文五年（一五三六）。信長さまが長期滞在されるようになる天正九年（一五八一）まで四十五年しか経ていない。この間二度の紛争で焼失した不運な寺でもあった。

「なぜ、このような貧しげな寺をお屋形さまは選ばれるのか」

奉行や記録係の牛一たち側近の、一致した疑念であった。

本能寺を織田軍が手に入れたのは、安土宗論（天正七年五月）の結果である。法華宗と浄土宗との間での宗論を仕掛けたのは信長さまではない。しかし、これを契機に法華宗を懲らしめようと、法華宗の負けを仕組んだのは明らかに信長さまの謀略であり、牛一もこれに加担している。

宗論の後、負けを理由に京の法華宗の諸寺の一千人近い僧侶を追放し、一時は全員を久遠院《くおんいん》に押し込め、空にした二十一の寺の悉《ことごと》くを綿密に点検した。中には、それまでも何度も宿泊場所としてきた妙覚寺、大本山である妙顕寺などの大寺院もあった。その、選り取り見取りの寺の目録の中から、信長さまが選んだのが本能寺である。

予想外の選択であった。

例によって信長さまは何も説明されなかった。奉行筆頭・長谷川秀一が代表して信長さまに、なぜ本能寺か、を質《ただ》したが、

「そなたらの知らずともよいこと。天のお告げとでも思っておれ」信長さまは、かからからと笑って奉行たちを煙にまかれた。

しかし、浄土宗に、想定問答集を作ってやった牛一にだけは、信長さまは、そっと漏らしてくれた。それも記録係の役目を理由に強引に押しかけた末のことである。

「愚か者め、小さいからよいのじゃ。いいから献上目録の中から、ご遠慮されて、一番小さな寺を選ばれたとでも書いておけ」

と一笑された。

（小さいからいい）

この言葉が実感としてわかったのは、その一年後である。見る見るうちに本能寺の外壁が、どこからともなく運ばれて来る大量の土によって三倍以上の高さとなり、内側に土居が築かれた。内塀に沿った堀も二丈（六メートル）以上の深さに変わった。

本能寺砦！　本堂の中は見ることを許されなかったが、そこも大改造された様子だ。ともかく砦といっていいほどの変容で、信長さまの深慮遠謀に牛一は舌を巻い

た。

（しかし、その本能寺砦からは、信長さまのご遺骸はなぜか、出てこなかった）

本能寺炎上後の逃避行で、牛一には一年近い空白はあったが、大坂在住以降は、懸命に炎上当時の事情を聞き廻った。

本能寺焼失後、光秀の娘婿の明智左馬助《さまのすけ》が数日の間、現場に留まり、徹底して信長さまのご遺骸を探し続けたと聞いた。

左馬助は光秀の娘婿となった名参謀で、万に一つの手落ちもする男ではない。完璧な包囲網を敷き、本能寺が全焼した後、焼け跡から出てきた数十体の遺体を一人一人首実検したに違いない。それでも信長さまと小姓の森蘭丸他数人の従者の遺骸だけが出てこなかったという。

（不思議だ。どう考えてもわからない）これまでも考え続けてきたことだが、今ここに立っても、どうやら結果は同じらしい。

（これからも何度でも、考えてみよう。このままでは夜が明ける）

東山が朝霞の衣を脱ぎ捨て始めていた。

ここでもう一つ、考えなければならない大事な課題がある。それだけは夜明け前に推理しておかねばならない。幸い辺りは、まだ犬の子一匹いない。それでも牛一は周囲を警戒しながら、懐からそっと数枚の略図を出した。

天正十年六月二日早暁《そうぎょう》の光秀の本能寺襲撃の道順が略記してある。伏見時代、密かに明智軍の生き残りの下級武士を捜し出し、銭を与えて聞き取っておいた覚え書きである。朝の薄明かりの中に翳《かざ》し、時々は天空の星座と対比するようにして見比べた。町屋街になっても、京の賽《さい》の目の道筋は変わらない。光秀の進んできた襲撃の方角は今も察知することができるだろう。

――光秀、軍団を三方に分かち、主力の光秀本隊、千本通をそのまま北上、三条通を右折して、六角堂から南下せり――

この書き込みは諳《そら》じるほど読んできた。それでも（妙な迂回路を採るものだな）としか思いつかなかった。季節は少し違うが、今、同じ時刻に、光秀は馬上だったろうが、自分は光秀になった気持ちで歩いてみることにした。そうすれば何かが摑めるかも知れない。

二度、三度と図面の指示通りに回遊を続けた。次第に夜が明けてくる。牛一は、焦った。

五度目の回遊中、ふと足元を猫が走るような気配を感じ、後ろを振り返った。不意に天空の北斗星の冷たい光が目に入った。瞬間、閃《ひらめ》くものがあった。

（破軍の星＝北斗星の第七星）これか！　それを背に戴くための迂回、それが勝利への最上の進軍路だったのだ。なるほどと思った。そこまで考えて進路を採ったとすれば、

（これは、巷間《こうかん》言われるような、途中で思いついた襲撃ではない。計画的だ。本能寺の守兵の多寡《たか》を気にしない行動は、兵不在を予《あらかじ》め熟知していたことになる）

時をかけた迂回と北斗七星の推理は、こういう結論に結び付く。

これだけでも収穫と、やや愁眉《しゅうび》を開いた気持ちになった。これさえわかれば、進軍の途中経過については、さして興味はない。知らなくても、どんな描写でも想像で描ける。

（収穫のあったところで、第二の疑問を解かねばならぬ。一つ、足を延ばして、十日の愛宕《あたご》山の月参りと洒落《しゃれ》るか）

本能寺跡から北西に聳える山である。京の都の、北東の比叡山に対し、北西（乾《いぬい》）の守護神として京を代表する二大神山であった。

桂川沿いを北上し、清滝を経て一気に登れば、秋とはいっても、自分の脚なら、まだ陽のあるうちに着けるだろう。今夜はその宿房に一泊し、じっくりと疑問に挑戦する。そのつもりになった。

午《うま》の下刻《げこく》（午後一時）、予定よりずっと早く、愛宕権現下に着いた。

牛一は、まず西の宿房を訪ねた。十日は愛宕山の月参りの参詣人が多い。だが、一人なら茶室が空いているという。読書にはもってこいである。宿泊者の名と住所職業を求められ、大坂は天神町、薬種商・隠居吉風と書いた。これで通すつもりだった。

明るい内に参詣をと、足を濯《すす》ぎ、平草履に履き替えて宿房を出た。

一町ほど登ると権現様の神殿である。奈良朝時代に和気清麻呂によって王城守護の社《やしろ》として祭られたのが始まりだが、社は何度か落雷で建て替えられていると聞いた。神殿に額《ぬか》ずき、丁重に詣でた後、受付の奥を覗いた。白い束帯の神官が何やら古書らしい物を読んでいた。時々こくり、こくりと頭が傾く。傾く拍子に慌てて周囲を見回す。その時を見計《みはか》らい、そっと声を掛けた。

「お差し支えなくば、ご挨拶を」

「それは、それは」と神官は気さくに座を改めてくれた。

年齢は四十を少し出た程度だろうか。穏やかというより茫洋《ぼうよう》として捉えどころがない。

型どおりの色代《しきだい》（挨拶）が終わった後、牛一はしばらく閑話を続けたが、頃合いを見計らって話題を連歌へと向けた。

「大坂では、近頃はお武家様ばかりでなく、町衆も連歌流行りでございますが……」

愛宕山でもさぞや盛んであろうと、話を持ちかけた。ここから光秀の連歌の会へ昔話を誘導するつもりであった。

「さよう、昔はここ愛宕山は連歌とは切っても切れぬ所でしたがな、だが今は……」

神官は不意に憮然《ぶぜん》とした顔になった。

「と言われると、今は何か不都合があると仰るのですかな」

「いや、これ以上は申し上げられませぬ。ご隠居や、町衆の連歌の集いには何の差し支えもありませぬこと故、放念されよ」

口と表情が急に堅くなった。

何かあるとは思ったが、牛一は、さっと引き下がった。長年の経験から、他人から話を引き出す時に無理強いは禁物である。

「では是非一度、仲間を集めて使わせていただきましょう。と申しても私どもの連歌などは、他愛もないもので、途中で句作に詰まれば、いつでも勝手に抜けますする。

だから一向に巧くはなりませぬ。歌の素質の問題かもしれませせぬがな」

わざと卑下して見せて、明朝に話の接ぎ穂を残した。

(明日は、この続きから、必ず口を開かせてみせる)

内心に言いきかせ、牛一は話題を収束へと向けた。

「急に寒くなりましたな。この分では、夜分は冷えましょう」

「町中にくらべ、この辺りは明け方の冷えがきつうございますれば、ご用心が肝要でございます。宿房には、囲炉裏《いろり》の用意もございます。飲酒も、仏寺ではござらぬゆえ、お清め程度のほどなれば、差し支えございませぬ。どうぞ、ご存分に身体を暖められて寝られることです。これで明日は、この辺りの紅葉が一段と映えると思います」

漸《ようや》く神官の顔にかすかな微笑が戻ってきた。そこに愛想笑いだけでないある種の好意を感じると、牛一はほっとして肩の力が抜けた。

4

その夜、愛宕権現の西宿房の大広間は十日参りの参籠者《さんろうしゃ》で賑わった。多くは京を始め、近郷の町衆である。農民たちも稲の収穫を終え、季節は農閑期に入るところだが、参籠者のうちには少ない。近郊農家では、これから始まる漬物用の京野菜の加工で、まだ繁忙が続いているのであろう。

町衆は同業の寄り合いを兼ねたものが多い。大きな囲炉裏端には赤々と炭がいけられ、酒盛りも盛んであった。輪に加われば見聞も広がろうが、已《おのれ》の話もしなければならなくなる。それが煩《わずら》わしい。

牛一は西の坊の下女の案内で夕餉《ゆうげ》の後、早々に別室に籠もった。薄汚い茶室である。先代の神官は茶の湯を好んだが、今の神官は茶の湯嫌いで、長い間、使われていないという。ここに寝具と行灯《あんどん》、小さな手焙《てあぶ》り火鉢を持ち込ませ、一人になると、背中の包みから一冊の綴りを取り出した。連歌の句集である。日にちは天正十年皐《さ》月《つき》（五月）二十八日とある。場所は愛宕権現の西の坊威徳院。その後に百近い句をずらり連記してある。伏見城の御書物蔵の記録から密かに写し取ってきた。開いた綴りの一枚目に、この時の発句がある。

ときはいま　あめがしたしる　さつきかな

連歌を少しでも嗜《たしな》んだ者なら、文禄時代、誰でも作者を知っている。明智光秀である。牛一も、これまで何度となく無言の内に詠《えい》じてきた。もう一度、詠じられたこの場所で読み上げれば、何かしらの新しい発想が浮かぶかも知れない。そう思って開いてみた。

この句を初めて知ったのは、句会から一年後、大徳寺で行われた秀吉主催の信長法要の時だった。越前松任から呼び出され、主君として秀吉に仕えた最初の頃である。法要の精進落としの席で、したり顔で句の講釈をしたのが、黒田官兵衛。これまでも何度も講釈してきたのであろう、流れるように淀《よど》みなく喋《しゃべ》った。

当時の牛一は、まだ秀吉の部下たちの名と顔が一致せず、官兵衛も名前だけしか知らなかった。およそ詩歌とは掛け離れた無骨者が、もっともらしいこじつけを言うものだな、と思って聞いたが、お目見え直後のこともあり、この時は黙って説明を聞くに止《とど》めた。

その時の初印象もあって、今も牛一は官兵衛が好きになれない。

元は東播磨御着の領主・小寺政職《まさもと》の家老で、小寺の姓を賜ったことを有り難がっていた。それが山陽道に進出した織田・秀吉軍に戦運があると見ると、主君・政職の織田方入りを説得し、あっさりと小寺姓を捨てた。官兵衛とは、そういう男である。改宗でも似たような変心がある。天正中期に流行の切支丹に宗旨変えしたが、太閤が同十五年に切支丹禁止令を出すと、さらりと着物でも脱ぐように信仰を捨てている。切支丹に生き、武士まで捨てた高山右近とは大違いの、およそ生き方に、筋も誠実さもない男であった。

そんな官兵衛の解釈は、光秀の発句の（とき）は光秀の（土岐）を、（あめがしたしる）は（下知）の意味で、これは土岐出身の光秀が天下をしろしめすという謀反の決意表明だという。秀吉様も同意見と付け加えたため、この解釈には誰一人として反論する者がなかった。以後、この解釈が世間に流布し、定説となっている。

（権力とは、げに恐ろしきものよ）牛一は密かに思う。

（光秀のような細心な男が、本能寺からたった四、五里程度しか離れていない愛宕山で、謀反決行前に、そのような本心を漏らすことなど有りえぬ話）

まして、その後に調べてみると、この日の会の連衆（参加者）は、明智光秀、連歌師・里村紹巴《じょうは》、威徳院行祐《ぎょうゆう》、上之坊大善院の宥源《ゆうげん》、紹巴門下の昌叱《しょうしっ》（紹巴の娘婿）、心前、兼如《けんにょ》、病身の光秀嫡子・光慶《みつよし》、行澄（光秀老臣）の九人。明智側は光秀、光慶と行澄のみとわかった。

この内の紹巴一門は当時から秀吉と交流のあった歌人である。この日に光秀の詠んだ句は、明け方には忍びを使って、本能寺の信長さまや秀吉の高松本陣まで届けられた可能性すらある。そんな、危険人物たちの前で、自分の謀反の真情を吐露《とろ》するほど、光秀は愚かではない。

そう考えれば、この句全体は「今、天下の行く末はどう変わるのであろう。時よ、季節よ、知っているなら教えよ」といった只の詠嘆句に過ぎないとするのが素直な解釈であろう。あるいは、当時も密かに噂されたように、元句は「したしる」ではなく、「したなる」であったかも知れない。そのほうが発句としては自然で、光秀に相応《ふさわ》しい。これなら「下知」と連想することはできない。単なる「あめの下の五月」という情景描写でしかなくなる。

それを「したしる」と改悪したのは誰か？　謀略好きの黒田官兵衛以外には考えられない。秀吉も共犯者であろう。

連歌の会に出ていた紹巴は、その経緯を一番よく知る立場だが、今も「したしる」だったと主張している。そのため、光秀の発句に叛意《はんい》を知りながら参加したといわれ、酷く秀吉から叱責を受けた。

牛一は、これも胡散《うさん》臭いと疑っている。元句は「したなる」だったが、当日の記録係の紹巴が、秀吉と官兵衛の偽作工作に協力し、記録を「したしる」と一字書き直して「罪なき罪」に服したのではないか。その証拠に、偽作が世間に定着すると、早速に罪を許され、今は大手を振って太閤のお気に入り歌人筆頭の地位に上っている。

牛一は、西の坊でもう一度、この辺りの経過を考えてみて、その感を深くした。しかし、新たな疑問が生じたことも事実である。

(それでは、今朝方『明智の進軍は計画的だった』と考えたことと矛盾するのではないか)

光秀は、二十八日の連歌の会の段階で、謀反の意思を決めていなかった。しかし、翌月一日には謀反の計画が決まっていた。となると、その間の僅《わず》か中一日で気が変わったことになる。そんな心境変化の生じる要因が、愛宕権現の何処にあったのか。

「二十九日に権現様の神籤《みくじ》を引いて決めた」と、まことしやかにいう者も何人か知っている。しかし光秀は、神籤などで物事を決めることはない。もっと怜悧《れいり》な理《ことわり》で行動する男である。益々分からない。

(信長さまのご遺骸同様、これも疑問のままか)

行き詰まったら寝るに限る。しかし待て、そう思って、もう一度、読み直した。今度は、今までさほど注意してこなかった次の脇句と第三句も併せて着目した。

脇句　　水上まさる庭の待山（行祐）

第三句　花落つる流れの末をせき止めて（紹巴）

行祐の脇句（水上まさる）は発句の五月のあめを受けたもので、「水流が強くなって変化の兆が見えます。私たちは、その変化を待っております」という意味深長な歌である。紹巴の第三句は、（庭の待山）の変化待望論をもう一歩、進めているようだ。「変化の兆候を待つだけでもどうでしょうか。今の季節は花が落ちて流れを堰《せ》き止《と》めやすくなっております。池の流れの末を堰き止めるままにしていて良いのでしょうか。傍観は止めて流れを堰き止めるものを除く必要はないのでしょうか」という、言外の意味があるように思える。

（どうも、二人して光秀を唆《そその》していた気がする）

ここに来て思いついた新解釈である。牛一は記録に留めた。

次に光秀の詠んだ後の平句だけを取り出して並べてみた。

月は秋　秋はもなかの　夜半の月

みだれふしたる　菖蒲菅原
おもいなれたる　妻もへだつる
心ありけり　釣りの営み
縄手の行衛《ゆくえ》　ただちとはしれ

いずれも駄句である。が、最後の句が気になった。

「縄手とは縄の筋から転じた畦道《あぜみち》か。畦道を通って（直《ただ》ちと走れ）と言い切ったのは優柔不断な自分に言いきかせる意味であろうか。この畦道は秀吉救援の備中高松に通じる畦道か、それとも信長さま襲撃の京への畦道か。はたまた別の道か」

だが、推理は、これ以上には進まない。それより（あの緊急時、こんな駄句を弄《もてあそ》んでいた光秀の本心は何か）それが知りたかった。

この頃、高松城攻めの秀吉からは、毎日のように援軍催促の手紙が信長さまに届けられていた。武器は要りません、頭数だけでもいいのです、ともかく参加だけしてください、という泣き言まであった。

信長さまは三河殿（家康）の接待中で、表向き平静を装っていたが、牛一たち側近は、秀吉からの手紙をお届けする度に「あの金柑頭《きんかん》（光秀）は、まだ動かぬのか」と当たり散らされていたものである。

　当然であった。秀吉の高松城攻めが危機にあったからである。攻める相手の城を、人工の築堤《ちくてい》で河川（足守川）の流れを変えて水没させてしまう、という奇想天外な攻撃は、唐天竺にも例がない。日本でも初めての試みであった。

　しかし、築堤が城内、あるいは毛利の援軍の手によって穴でも空けられれば、築堤に沿って配置される攻撃側の羽柴守備隊は、激流の藻屑《もくず》と消えてしまうという危険極りない作戦である。この高松城の水攻めを、八年後の小田原の役でそっくり真似た石田三成が、武蔵・忍城《おしじょう》の攻撃で大恥を掻いている。急造の堤で、水の圧力に抗しきれず、何百人もの将兵を溺死させたのである。

　信長さまは海抜の低い清洲（当時ゼロメートル地帯）で、何度も水害の苦労をされた経験があるから水の怖さを熟知しておられた。秀吉がこの攻撃に事前裁可を求めたら、即座に止められたであろう。

　危険を防ぐには、築堤に満遍なく兵を配置しなければならない。秀吉の報告では、築堤の長さは、延々二里に及ぶとある。いつも過大報告する悪い癖のある男だが、もし事実なら、五十間毎に見張り砦を付けると、およそ八十六カ所となり、一カ所に二百人を配置すれば、羽柴軍一万七千が見張りだけにへばり付いてしまうことになる。牛一たちは、眉唾《まゆつば》とは思いながらもそこまで計算した。頭数だけでもいい、武器も持たないでお出で願いたいという秀吉の訴えの悲痛さもここにあった。一方毛利の大軍は、この時ひしひしと高松城に向かっていた。織田軍にとって、秀吉の救援は一刻の猶予もならない瀬戸際であった。

この時、いかに秀吉が切羽詰まっていたかを示すものに、高松周辺で秀吉が勝手にばらまいた、信長さまの偽手紙がある。朱印状まで偽造、飛脚や虚無僧《こむそう》などに持たせて、わざと毛利方に捕まえられるようにした。牛一の天満の書庫にも、この時の手紙が数枚、蔵されている。それには信長さまが十万の大軍を率いて京を発つ、とか、明智軍二万が姫路に到達とか、出任《でまか》せが書いてある。そんな織田軍の苦衷《くちゅう》をよそに、光秀は、ここでこんな駄句を捻《ひね》っていたのである。

何故だ！　牛一は信長さまは好きだが、信長さまを葬った明智光秀を決して憎んではいなかった。頭脳明晰で、織田家の家臣の誰よりも有職故実《ゆうそくこじつ》に詳しい。誠実な人柄で、側近からも愛された。謀反は、よく言われるような信長さまの折檻《せっかん》への意趣返し、などという浅薄な理由ではない。その程度のことで、大それたことをする方ではない。だからこそ駄句を捻っていた本当の理由が知りたい。

（光秀はここで何かを、誰かを待っていたのではないか？）

ふっとそんな気がした。しかし、そこから先、ではそれが誰かとなると、思考が完全に停止してしまう。

（今夜も同じか）しばらく火鉢に手を翳《かざ》し、両手を擦り終わると、牛一は薄い寝具の上でごろりと横になった。目がすっかり冴《さ》えてしまった。不意に死んだ由己の顔が天井の隅から覗いた。

「信長さまがなぜ、そのようにお好きか」

由己は、いつもそう言って挑戦してきた。

「そなたこそ、なぜ、あのような太閤を敬うのか」

二人の勝手な月旦評《げったんひょう》がこうして始まり、「分からぬ男よ、お主も」で、お互い笑いながら終わったものだ。

だが、今夜の由己は何も言ってはくれぬ。じっと悲しそうな目で牛一を見下ろすだけである。（お前が挑戦してくれないなら、こちらから言ってやろう）牛一は心の中で叫んだ。

「秀吉のことは、もう言うまい。そなた、もう言わずとも解ったであろう。この俺が信長さま好きなのはな、欠点も多い、残酷な所も人一倍のお方じゃが、加算できる評価の山が、他のどの英傑より飛び抜けて高いからよ。これまでお前にも言えなかったが、いずれ明かして見せるゆえ、それまでは何度でも俺の所に化けて出てきてくれ。由己、成仏無用ぞ。よいな」

5

翌朝、牛一は下女が引き戸を開ける音で目を覚ました。既に陽光は高かった。寝付きが悪かった分、夜明けにかけて熟睡したようである。茶室を追われるようにして手水《ちょうず》を使い、そそくさと山菜づくしの朝餉《あさげ》を一人で済ませた。

大広間は既にひっそりとしている。町衆は早立ちしたらしい。再度、権現様の神殿にお礼参りを済ませ、宿房に戻って帰り支度をと考えた時、待ち兼ねていた風情で、神官が社務所から顔を出した。

「吉風殿、こちらへお出でなさらぬか。粗茶など差し上げたいが」

「有り難く戴きましょう」

牛一もこのまま帰るつもりはなかったところである。喜んで申し出を受けた。

「とはいっても、文字通りの粗茶に過ぎぬが」

幽《かす》かに浮かんだ神官の微笑は、昨夜の続きであろう。やはり自分に好意を持ってくれたのだ。

誘われて通されたのは社務所の奥、襖一つ隔てた先の小さな囲炉裏の切られた部屋である。囲炉裏端に置かれた手焙りの上に、籐の鉉《つる》まで焦げかけた古ぼけた土瓶が置かれ、仄《ほの》かな湯気を上げていた。

牛一が座るのを待って、神官は一摘みの茶褐色の乾物を土瓶の中に無造作に落とし込んだ。

「柿の蔕《へた》でございます。干して、このようにさっと煎じます。最後に、季節の香りを出すために時の野草をほんの一摘み。これを飲むと卒中に罹《かか》らぬと申して、在所では重宝しておりました」

「ほう、それは、それは」由己に飲ませたかったと思った。

「柿の蔕茶の薬効はご存じありませぬか。ご記帳いただいたお仕事は薬種商だったと伺いましたが」

皮肉を言われた感じはなかったが、内心はっとした。身分を疑われては困る。

「いやいや、薬種商とは申しましても、在所、在所の隠れた知恵までは、なかなか存じ上げませぬ。せいぜいが知識としては、曲直瀬《まなせ》道三様のお書きになった『本草異名記・製剤記』に出てくる薬物百十六種程度。金・元医学を扱う『啓迪集《けいてきしゅう》』『切《きり》紙《がみ》』まで溯《さかのぼ》っては覚えきれませぬ。もっとも漢方薬百種に柿蔕はございました。が、確かしゃっくり止め程度の効能であったと、うろ覚えに記憶しておりますが」

牛一は、ありたけの薬種知識を披瀝して疑いを晴らそうとした。

「さすが、薬種商、薬にお詳しい。確かに漢方には、しゃっくり止めの効能のみ記載されています。いやいや、吉風殿を疑うたわけではありませぬ。『唐の物は薬の外はなくとも事欠くまじ』と兼好法師も申します通り、彼《か》の国には薬草の種類が多く、効能の調べも整っております。しかし、広すぎる国のため、知識の散逸が多い。却《かえ》って狭い日本の国の工夫した薬草のほうが調べの深いものがあります。柿蔕が、その一つです」

(やれやれ、どうやら疑いが晴れたようじゃな)と、牛一は内心胸を撫で下ろした。

「いやお恥ずかしい。して、神官殿のご在所はどちらでございますか」

「申し遅れましたが、田屋明人《あきと》と申します。神官とはいっても、長《なが》の病で臥《ふ》せっておられる神官に代わっての、ほんの臨時みたいな者ですが、以後お見知り置きください。先祖は近江の浅井《あざい》一族の流れと聞いておりますが、なに、この国では三代辿《たど》れば帝《みかど》と、せいぜい五摂家の方の他は、皆どこぞの馬の骨でございますれば」

ひねた言葉だが、言うところは同感である。今、書こうとしている『信長記』でも、信長さまの麗々《れいれい》しい系図などは一切、触れないつもりであった。なおさら田屋の言葉が身近に聞こえた。

「近江は彦根近く、番場と鳥井本の間にある小さい峠の辺りの村の出でございますが」

「小さい峠と言われると、もしや摺針《すりばり》峠ではございませぬか」

「これはまた、よくご存じで」

神官は真顔になって、再び訝《いぶか》しげな視線で牛一を見据えた。

「なに、あそこから眺める竹生島《ちくぶ》、多景島《たけ》があまりに見事なもので、存じ上げているだけでございます。二度、三度と気の合う仲間と歌詠みの旅したことがございます」

牛一は意識して相好を崩してみせた。本当は一度だけだが、つまらぬ疑惑を拭うには、この口実の他は思いつかなかった。

「名もない故郷を褒められるのは、こちらに来て初めてでございます。いや、嬉しい。こんな嬉しいことはござらぬ」

明人の目付きが急に優しくなった。

明人の故郷、摺針峠は、牛一にとっても忘れられない場所であった。永禄十一年、それまで織田家弓衆の武辺に過ぎなかった牛一が側近に取り立てられた最初の年である。それは武士としては第一線から退くことを意味した。齢《よわい》四十二歳、陰陽道にいう厄年を信じたわけではない。これまで武人として誇りにしてきた自分の弓技が、鉄炮万能時代を迎えて合戦で役に立たなくなるのを見るのが年々辛くなっていた。これ以上、第一線に固執すれば、自分に付いてくる若い弓衆が、織田家での出世から益々遅れていく。それも、側近への転向を決意させた動機の一つであった。

その年の八月、信長さまが上洛の軍を発するに先立ち、北近江の義弟・浅井長政を佐和山城に訪ねた。浅井家との日程の事前打ち合わせが、側近としての最初の仕事であった。信長さまが無事に表敬を終わられた後、浅井長政はわざわざ摺針峠まで義兄を見送りに出てくれた。思ってもみない心遣いに信長さまはいたく喜ばれ、自分まで大層にお褒めに与《あずか》ったことを昨日のことのように覚えている。

だが、二人の仲がここで切れるとは思ってもみなかった。まして、その六年後の天正二年元旦、長政が髑髏《しゃれこうべ》となって漆《うるし》で彩色され、義兄の酒宴の座興の品に成り果てようとは……。

(よそう。そんな話は『信長記』にも書き残すことではない。信長さまの恥となる。思い出したくもない) しばらく感慨に耽っていたのであろうか。不意に、

「吉風殿、茶が冷めぬうちに、いかがでございますか。ここでは茶の湯作法など無用にございますゆえ、ぐいと、お空けなさいませぬか」

促されて我に返った。

「かたじけない、では」

いかにも素人作りといった薄土色の茶碗に濃い褐色の茶が注がれていた。ほどよく温《ぬく》んでいる。無造作に茶碗を摑むと、一息に飲み干した。香ばしい渋みの中に微かな菜の香りが口の中に広がった。

「今朝、採った菊菜《きくな》が入れてあります」

「結構な、お服加減でございますな」

「もう一杯いかがかな」

優しくなった目が、一段と細くなった。

「戴きましょう」今度はやや熱目の湯であった。舌で、まろぶようにして味わった。

「嬉しゅうございますな。茶は神様の下され物、その薬効を戴くためには、格式ばらず、そのようにがぶがぶ飲んで戴くに限ります。利休の茶道は好きになれませぬ」

田屋の言葉を、牛一は苦笑いして聞いた。確かに利休の茶は、やれ侘《わ》びだの寂《さ》びだのと勿体《もったい》ぶり過ぎた。「茶の湯とは、ただ湯を沸かし、茶を点《た》てて飲むばかりなることを知るべし」などと人には教えている癖に、身近で見た利休は、茶器の箱書きなどして高額の謝礼を取る、したたかな俗物であった。信長さまの頃の爽やかな茶道は既に滅びたのである。田屋が嫌うのも解る気がした。

「この茶碗も、田屋様が」

「茶の湯嫌い故、茶碗も全くの野人の手すさび、ここら辺りの子らの粘土細工程度の物にございます。勿体ぶった袱紗《ふくさ》捌《さば》きもできぬ無骨者には、ちょうど手頃ではございませぬか」

「この茶碗、なかなかに風情があってよろしゅうございますよ」

両手の中の、見るからにごつごつした茶碗を、もう一度、眺めた。

「世辞はご無用に願いましょう。ただ、話に夢中で出し遅れましたが、この受け菓子は自分でも、なかなか行けると思いますが」

差し出されたのは、中折紙に載った小さな餅菓子である。

「私の手慰《てなぐさ》みの葛《くず》ねり（葛餅）ですが、ちょうど氏子から冬場の薬としてお届けいただいた水飴がありましたので、それを少々、入れております」

口に入れると、舌の上で柔らかな菓子から甘みと鼻腔をくすぐる、微《かす》かな香りがした。

「何やら高貴な香りと淡い苦みがします」

「いやいや、お気に入りましたか。その苦みは、水尾《みずのお》の柚子《ゆず》の皮をごく細切りにして散らしているせいでしょう。ほんの私の座興でして」

明人は、満面に満足そうな笑みを浮かべた。

「ほう、水尾は柚子の産地でしたか」

ここから間道伝いに一刻とは掛かるまい。名だけは知っていたが、元来が食べ物に興味の薄い牛一は、柚子の産地とは知らなかった。

「別名《柚子の里》と申すくらいで、避暑、避寒ともに優れ、隠れた貴人の隠棲地にございます。京の大原の里が著名ですが、水尾も知る人ぞ知る人気の里でしてな、最近は京大坂、堺などの豪商たちの別邸が、小さな里に軒並みに建ちましてございます。また、それを密かに借りに来る公家衆のお忍び姿も、ちらほらとあるようで」

「何、公家衆がこの水尾に忍びで来られるのですか！」

思わず持った茶碗を落とすところであった。

この時、牛一の頭の中を、思ってもみなかった一本の稲妻が走った。そこに照らし出されたのは、連歌の会の後、山籠りと称して社殿に籠もったはずの光秀が、夜陰に紛れ、水尾の間道を飛ぶように降りていく姿である。高ぶる心を抑えながら、牛一は訊ねた。

「そこに、どのようなお方が別邸をお持ちなのでしょうか」

「さて、その名前までは……何かご関心がおありかな」

首を傾げて明人は真顔になった。

「いや、私のことではございませぬ。大坂に帰り、近所の天満の町衆に歌会のことでお誘い申し上げれば、水尾の別邸にも興味を抱かれるかも知れず。その折りには、近隣の別邸を誰方が持たれるのかにも話題が及ぶやと思いまして」

即座の嘘である。

「なるほど。なれば、お帰りを水尾廻りの清滝とされ、地元で訊ねなさるがよい」

「誰方か、ご存じよりの方でもございましょうか」

「菓子作りの仲間内に村長の平左衛門と申す者がおります。今頃は自分の畑の柚子取りに出ておりましょうが、私からといえば、知ることは腹蔵なく全てお話しするでしょう」

「それは助かります。では、お言葉に従い、水尾を迂回して帰るといたしましょう」

心中を見透かされないよう、おもむろに座を立った。

田屋は社務所の外まで見送ってくれた。別れを告げようとした時、

「時に、吉風殿はお幾つかな」と、何げない風に訊ねられた。

「七十歳にあいなります」

「ほう、丁亥《ひのとい》か」

記憶を手繰《たぐ》り寄せるように、明人は軽く目を閉じた。

「干支をお読みになられますか」

「ほんの真似事ですが」

「私の年齢には、どのような卦《け》か承ることができましょうか」

「では戯《ざ》れ言《ごと》と思ってお聞きください」

明人は一言ずつ嚙んで含めるように語った。

「丁は字の形のように行き当たる畦道。植物なら芽が伸びようとして地表に出きれぬ姿。亥には根ざす、萌《きざ》すという意味があり、地下に根ざした物が蠢動《しゅんどう》する姿を表します。また暦では、亥は神無月を意味し、古書には（百物を蔵する）とか（物皆、堅核《けんかく》となる）意と説明しております。吉風殿が何をお考えかは存じませぬが、この

月、吉風殿が心に蔵された堅核は思わぬほど大きな精気となって凝縮し、その蓄積はやがて地上に姿を現して、予想以上の巨樹となりましょう。焦らずお励みなされ」

「有り難うございます」頭を下げた。勇気づけられた気がした。

「では、そろそろお別れに当たり、本当のことを申し上げる潮時でございましょうな。この明人、吉風殿を只の薬種商のご隠居とは思っておりませぬと」

はっと思ったが、牛一は、まだ何食わぬ顔で訊ね返した。

「それはまた、異なことを。なぜ一介の薬種商の、この老人をお疑いでございます」

「途中、茶を飲まれる時の吉風殿の指で覚《さと》りましたな。それ、その右手の薬指の左先。手の指全体が白く、柔らかく見えるのに、その部分だけが、一点やや潰れて色も違う。それは年中、筆を持っておられるからに違いない。薬作りの薬研《やげん》転がしなら、手の平全体が硬く色も赤くなります。一部だけ潰れることはござらぬ。拙者も、これこの通り」

自分の手を見せて笑った。

「これ以上は、隠さずともよろしかろう。決して他言はしませぬに」

不意に鋭い視線で顔を覗き込む。牛一は、たじたじとなった。

「負けましたな。そこまで見通されては、甲《かぶと》を脱ぐしかありませぬ」

田屋は優しい笑みに戻り、牛一の返事を促した。

「一期《いちご》一会《いちえ》と申すではございませぬか。これ以上の他人行儀は、抜きにしましょうぞ」

「では、本名を申し上げます」牛一は言葉を改めた。

武士は滅多なことでは本名を明かさないが、これ以上の隠し立ては、却《かえ》って田屋に対して礼を失すると思った。

「元は尾張国山田庄安食《やまだのしょうあじき》の住人、太田和泉守又介。このような頑丈な身上が取り柄で、通称・牛一で通っております。織田家から豊臣家に転じて、二年ほど前までは側近の端くれを務めておりました。しかし、今は隠居の身、この世の見納めにと、あちこちと見聞を広めに巡っております」

「これ以上、書き物が何かまでは詮索《せんさく》しませぬが、太田様が、今、心に蔵されているものは、この明人の見るところ、かなりなものでございますな。大事に暖め、育てなされ。それに失礼だが、ご高齢の身、お身体に注意なされよ。薬種商を称する方に申すのも何だが、万一お身体に変調が起きた時は、症状を詳しく書いて送ってくだされ。この辺りの山野は薬草の宝庫。きっと私にお役に立つことがありましょうゆえ」

「ご厚情、痛み入ります。いずれ、その時は」

「そうそう、昨夜、訊ねられたことで、まだお答えしていないことがございますな。愛宕権現では、あれ以来、武家衆の連歌の会は廃れました。歌会を催すと、事後、必ず京の所司代まで百韻《ひゃくいん》の写しを差し出すように、とのお達しが出ているためでございます。あれ、とは太田様なら言わずともお分かりでございましょう。それゆえ、武家衆の代わりに、どうぞ沢山の町衆を引き連れてお出でくだされ。そうでないと、この愛宕権現、商売あがったりになりますからな」

牛一は最後まで田屋に煙に巻かれて社殿を後にした。後は幻の光秀を追って水尾へと駆け降りるのみであった。


水尾への道は、昨夜泊まった西の坊から二町ほど下った清滝との岐路から右に曲がった藪続きの間道である。急な下り道は、牛一の健脚では四半刻とは掛からなかった。間道を抜け出ると、不意に急斜面が消え、南面して僅かな平地が拓《ひら》けていた。田はなく、畑も猫の額ほどだが、山峡《やまかい》に柔らかく抱かれるように、樹高一丈ほどの柚子の木々の林が鮮やかに展開していた。言われた通り、確かに別天地であった。

田屋に聞いた平左衛門の家は、通りすがりの農夫に聞いて、すぐ知れた。田屋の名を告げると家人は「主は畑にいる」と、丁重に案内してくれた。途中、柚子の木の枝梢には棘があるので気をつけるように、と何度も注意されながら、柚子林の樹間を進んでいった。

平左衛門は六十がらみの、でっぷり太った、いかにも好人物といった感じの丸顔の男であった。家人が田屋の名を伝えると、頭の竹の子笠を取って丁寧に挨拶を返した。

「大坂は天満に在住します薬種商の隠居・吉風と申します。この辺りに京大坂の町衆の別邸が多いと聞いて、出養生先《でようじようさき》になるかどうかと、いたく興味を覚えて参ったのですが」

ここでは吉風に戻ったほうが話し易い。

「あなた様も出養生を？　見るからにご壮健のご様子ですが」

柔和な笑顔で、牛一の身体をしげしげと眺めながら言われ、牛一は思わず身を縮めた。

「いや、私ではなく、家族の者のためにと」さらりと、ここでまた嘘が出た。

ややあって、平左衛門はおもむろに口を開いた。

「分かりました。しかし、少し遅すぎたかも知れませぬな。あらかた向きの良い場所は売れてしまいましたので。今、上のほうまで雑木林を切り開いているところですが。とはいっても、せいぜいがこれだけの広さの所ですが」

「ほう、ここは、それほどの評判ですか」牛一は呆れた。拡げるといっても限界があるのは、一目でも周囲に迫る山峡を見れば分かる。

「地元の我々としても、なぜこんな所が評判に、と思うのですが、京に較べれば夏冬共に気候に恵まれているのは事実でございます。そのため、中には地所だけ買って、そのままというお方が結構あります。大きな声では言えませぬが、朝鮮出兵や呂宋《ルソン》貿易で大儲けした商人が、建てるつもりもないのに買い占められたようで。そのまま放りぱなしにされて、私共は正直の所、ほとほと困っております」

「呂宋貿易というと納屋《なや》（呂宋）助左衛門様なども？」

「それが一番の買い占め主で」

平左衛門は眉根を寄せ声を落とした。心底困っている様子だった。

「助左衛門のものなら、今は理由は言えませぬが、間もなく土地は手放さざるを得なくなるでしょう」

牛一も声を潜め、そっと囁いた。まだ、やっかみ八分の失脚の噂である。が、事実なら、牛一も快哉《かいさい》を叫ぶような事情がある。

「本当でございますか」

平左衛門は無邪気そうな目を、一層丸くしてのけぞった。

「いや、まだ大坂の町衆の噂に過ぎませぬが、大坂は地獄耳の町。あながち嫉妬だけの噂ではないようです」

「本当だとよろしいのですが。村長として日夜、悩んでおりました。こんな小さな村落は、豪商の手に懸かれば、ひとたまりもありませぬ。いや、いいことを聞きました」

平左衛門は、ほっとした表情になった。

助左衛門は二年前に呂宋から中国宋代の陶器と称する呂宋壺五十箇を持ち帰り、「葉茶壺」と称して諸大名に競りで売りつけて話題を呼んだ。大名の中には壺一つに一千貫文から五千貫文の値をつけた愚か者もあったという。一貫文は銭一千枚、石高に換算すると、一貫文が、当時五石に当たるから二万五千石。中小大名の年収に匹敵する。

この頃の黒釉陶《こくゆうとう》の至芸と言われた曜変天目《ようへんてんもく》でも、およそ百貫文。その十倍から五十倍の値を呼んだのである。これで助左は数日で巨万の富を得た。その頃はまだ羽振りが良かったので、あり余る金でこんな所の土地にまで手を出したのであろう。

だが、この壺の評判を聞きつけた石田三成が、関白殿下様用にと、最後の三つを助左衛門から脅すようにして買い上げてから、様子が変わった。何やら宋代の陶器とは真っ赤な偽りで、呂宋では只の屎尿入れだという、とんでもない噂まで出て、近く厳しく叱責されると聞いた。しかし、牛一の今の興味は、そんな所にはない。

誰が、そんな土地に別邸を持つのかの話の接ぎ穂にするだけのことである。

「それ故、助左衛門様の土地で良いから是非とも拝見したいのです。その場合、近隣に古くから別邸を持たれる方がどのようなお方かも大事なことなので、内密にお教え戴きたいのですが」

「京大坂の老舗《しにせ》の豪商方は、古くからお持ちでございましたよ」

平左衛門は屈託なく答えた。

「たとえば?」

「納屋様の買われた土地近くの別邸で、私があれこれお世話している一番立派なものは、何といっても茶屋様でございましょう」

「茶屋四郎次郎様ですか！」意外な名前が出てきた。

「公家様は、お持ちではないのでしょうか」

「公家様は、内実はお手元不如意とかで、なかなかに別邸を持つことはできぬようでございます。専ら商人方の別邸を、そっとお借りしているようで」

そんなところだろう。五位鷺《ごいさぎ》とからかわれる従五位下あたりの貧乏公家にそんな余裕は当然ない。だが五摂家ともなれば、あるいは小さな別邸ぐらいは持つかも知れない。信長さまの謎解きに関係しそうなのも公家の上層部に限られる。もう一歩踏み込む気になった。

「どのような公家様かな。公家様といっても、かなり上下がおありでしょう」

最初は広い網を広げて訊ねてみた。

「よくは存じませぬが、茶屋様の別邸には、一条様、三条様、近衛様、今出川様といった錚々《そうそう》たるお方が足繁くお見えになりました」

平左衛門のほうから網の口を狭めてくれたのが有り難かった。この中で（世渡り上手）と評される近衛が一番臭いと直感的に思った。

「近衛というと、薩摩に流されている近衛信尹《のぶただ》様かな」

わざと、もう一度知らない振りで間口を広げた。

「いいえ、信尹様でなく、その父君の前久《さきひさ》様でございます。公家様とはとうてい思えぬ、背の高い、お侍様のような偉丈夫で」

（しめた）と思った。それなら、間違いはない。牛一も信長さまの所に来た前久の姿を何度も見ていた。「公家にはない、すどい目を持った男よ。この男の動静に気をつけよ」と信長さまから言われた記憶がある。この男を追ってみよう、と思った。

「十数年になりましょうか。その頃は、よくここへお見えになりました。その後は、とんと音沙汰なくなりましたが……」平左衛門は懐かしそうに山の彼方へ視線を向けた。

「今は、京の寺に隠棲しておられるそうです」

「そうですか。ここに来られた時は、茶屋邸の門を入られると、いきなり衣冠束帯《いかんそくたい》を放り出されました。気さくな、裸同然の格好になって、百姓の子らに書を教えたり、そうかと思うと、手摑みで竹の子の煮物や漬物まで、むしゃむしゃ食べられるような、それはそれは豪快なお方でした。馬術も放鷹《ほうよう》も、鳥撃ちも巧みでございました」

「確かに公家様にはお珍しい型破りなお方だったと聞いておりますな。それでいて、歌など多少は嗜《たしな》むもので、青蓮院《しょうれんいん》流の書家でもあられた。私は下手の横好きで、近衛前久様の揮毫《きごう》を見せていただきました。

あちこちの寺院に参ります。いろいろな所で近衛前久様の揮毫を見せていただきました。もしや、茶屋様の所にもありませぬかな」

「沢山ございます。何なら、お見せしましょうか。私が屋敷の管理を仰せつかっていますので、ご覧になるだけでしたら、一向に差し支えありません。ちょうど数日前に大雨が降ったため、湿気払いに引戸を開けにいかねばと思っていた矢先でございました」

「そう願えると、まことに有り難い。ご迷惑は掛けませぬ」

(これは大収穫になるかも知れぬ)と、牛一は内心で快哉《かいさい》を叫びたいほどだった。

(前久卿は、ここで光秀を接見した。光秀の山籠りは口実だった!)

当時の、織田家の武将たちは、信長さまから公家との接触を禁じられていたはずである。その禁を破って、二人はここで何を話したのであろうか。想像するだけで胸が躍った。

水尾は元々が狭い傾斜地である。段々畑に沿って走る農道は極めて細く、くねくねと入り組んで起伏が激しい。そんな迷路のような道を、およそ二町ほども歩いたであろうか。

6

平左衛門に従ってついてきた三人の下男と共に、総勢五人が一列になって下った先の、やや平坦な場所に、瀟洒《しょうしゃ》な屋敷の並ぶ街区が突然、拓けた。

水尾が古来別天地として人気だったといっても、やはり不思議な光景である。その中で、周囲三十間ほどの土塀に囲まれた、ささやかな隠棲地にはおよそ不似合いな、大きな屋敷が茶屋の別邸であった。北に面して樫の一枚板の厚い観音開きの門があり、正面右手には篝屋《かがりや》まで配している。在宅時には守護人まで置いて警護に当たるのであろうか。

待つほどもなく、下男の一人が内側から門を左右に開いた。前面右が枯山水の庭である。

平左衛門の案内に従って庭を眺めながら、正面の式台に沿って奥に向かうと、檜《ひ》皮葺《わだぶ》きの入母屋造りの建物があった。五つほどの部屋が前後に並んだ方丈風の構造である。各々を結ぶ廊下の結び灯台が、ほとんど新品同様に光っているのは、使われる頻度が少ないことを示すのであろう。

「私はあちこちの引戸を開け、掃除などの指示を致しますので、その間、どうぞご随意に各部屋の書画などをご覧なされませ。ただ、決して置物、掛け物などにはお手を触れられぬように。四郎次郎様は、繊細なお方で、置物一つまで、置き方と方向を細かく覚えておられますので」

「しかと、承知しました。村長様にご迷惑になるようなことは決して致しません」

辞を低くして礼を言った牛一は、一人になると不意に誰かに誘い込まれるように、一番奥の部屋へ引き込まれていた。

日頃のように調度品を眺めるでもなく、書画にも関心を払う気が全く起きなかった。薄暗い廊下を、ただひたすら真っすぐ進むだけの動きが、自分でも不思議だった。縁《えん》の引戸が閉められた、頻闇《しきやみ》のはずの部屋の入口まで来て、牛一は思わず立ち竦《すく》んだ。

燭台から薄明かりが漏れており、襖障子の衝立《ついたて》の中で微かな人声がした。そこからまた、明人との茶席で突然に閃《ひらめ》いた、稲妻の中の武将の白昼夢の続きが始まったのである。

襖障子の奥の小さな御簾《みす》から、中腰になってそっと中を覗くと、床を背に剃髪《ていはつ》した僧衣姿の大柄な男が、武将を接見する光景が浮かんでいた。

「つくづく、この世が嫌になり申したのよ」

僧衣姿の男は、女子のような甲高い声の持ち主であった。武将は平伏したまま、顔も上げられない。

「何をそんな、お気の弱いことを」

こちらは低く、くぐもった声で答えている。

「気も弱くなりましょうぞ。恐れ多くも御帝《みかど》までが死にたいと仰せられる有様ゆえの。麿《まろ》も内基殿（一条）、昭実殿（二条）、兼孝殿（九条）等と共に慌ててお諫《いさ》め申し上げたのだが……」

「それは、いつのことでございましょう」

武将がここで、ようやく蒼白な顔を上げた。横顔と薄い頭髪から光秀と分かった。

「昨日、早朝の廟議《びょうぎ》の後でごじゃった。ここで、先月に信長に焼き殺された塩山恵《えんざん》林寺の国師・快川《かいせん》和尚の残された《心頭滅却すれば火もまた涼し》の偈《げ》文が披露され、御帝はまた、改めてお袖をひとしきり濡らしたもうた。その後、この前久一人を御簾の陰にお召しになり、独り言のように呟《つぶや》かれてな、死にたいと……」

「恐れ多いこと。なぜ御帝がそこまで思いつめられるのでございましょうや」

光秀の声が一段と低く呻《うめ》くようになって聞き取りにくい。牛一は耳を澄ませた。

「そなたも知っておろう。そなたの主・信長から多年に亙って誠仁《さねひと》親王への譲位の要求の出ていることを。これを、あれこれ躱《かわ》されるのに、御帝は、ほとほとお疲れになられたのよ。既に六十七歳であらせられる。快川和尚の死を、最初お耳に入れた時には、あまりのお嘆きで、十日も床に伏せられたままじゃった。無理もないがのう」

前久はふと目を逸《そ》らせた。視線が牛一を向いたので、一瞬ぎょっとしたが、見たのはどうやら庭先らしい。縁の引戸がいつの間にか開かれ、庭池の袂《たもと》の白い花菖蒲が、部屋の行灯に微かに浮き上がって見えた。花は今にも匂うような真っ盛りである。

白昼夢の接見は、なお続いた。

「なぜ、御帝がお歳にも拘《かかわ》らず退位なされぬのか、言わずとも、そなた、分かっておろう。お世継ぎの誠仁親王が、無理やり信長の建てた二条屋敷に押し込められるように移られて、足掛け三年になる。そこから父君の補佐をされておられるが、近頃はそのなさる叙任、祭祀《さいし》などが、父君の裁可と悉《ことごと》く食い違われる。皆、信長の指図じゃ。専横じゃ。御帝の御心は一向に安まられぬ」

前久の吐息が、はっきりと聞こえた。

「《百王の流れ、ことごとく尽き、猿犬英雄《えんけんえいゆう》を称することあるべし》とは、我ら朝廷にお仕えする者、かねて平安の頃より聞き伝えられてきた宮中の戒めの一つじゃが、まさか今上《きんじょう》の御帝と、この前久のお仕えする天正の御世が、それに当たろうとはの。麿《まろ》は末代まで無能、不忠の臣として汚名を残すやも知れぬ。そう思うと、今朝、我知らずのうちに我が髪を、これ、このように下ろしてしまったのよ。数えてみれば、御帝は数えて百六代にてあらせられる。既に朝廷は百王を過ぎたのじゃ。命運尽きるは致し方ないかも知れぬ」

大仰に肩を震わせて、どうやら泣いているように見えた。

「滅相もない。そのようなこと、信じませぬ。お考え違いと存じます」光秀の声も震えている。

「慰めは無用。だが、北面《ほくめん》の武士でもいてくれれば、話は別じゃ」

前久が光秀をちらりと見たのを、牛一は見逃さなかった。一瞬のうちに、今まで泣いていた顔が消えていた。言葉の抑揚まで違っていた。前久の駆け引きであり、したたかな演技芝居である。だが、光秀には、そんな相手の腹が読み通せなかったようだ。

「拙者に、北面の武士になれと仰せか」

光秀の声が一段と悲痛に響いてきた。

「なれとは言わぬ。求めるわけではない。これは麿の、ただの愚痴じゃ、嘆きじゃ。許せよ、粗茶でも進ぜよう。家司《けいし》を呼ぼうぞ」

「いえ、お話をこのまま御前と、二人のみで続けさせて戴きましょう」

「ならば、申そう」

前久は再びゆっくりと語り始めた。

「麿らは御帝共々に、そなたが三年前、東丹波の黒尾に築いた城に周山《しゅうざん》と名付けたのを頼もしく覚えておるということを」

「あの周山城のことでございまするか！」

思いも掛けぬ話題だったのであろう。光秀が身体を硬くして不安げに前久を見あげるのが、よく分かった。

「そうじゃ。そなたが黒尾山に築いた城よ。これを、そなたは周山城と命名し、そこへの街道を新しく周山街道と呼んだ。そなたが苦労の末に八上《やかみ》城を攻め落とした直後のことよ」

「確かに、それは」光秀の声には力が全く感じられなかった。

「そなたは、八上城の波多野秀治・秀尚兄弟の降伏を受け入れ、二人を安土の信長の元へ送った。二人は、ことのほか勤王の志の厚い、我らには頼りになる者じゃったがな。ところが、信長は波多野兄弟の安土入りを許さず、接見もせずに、安土の郊外で磔殺《たくさつ》した」

「おやめくだされ、その話は」光秀は悲痛な声で懇願した。

「いや、いや、言わねばならぬ。そなたは波多野兄弟の安土行きの身の安全を保障するために、八上城にそなたの伯母の身柄を差し出していた。功名を焦るあまりにな。そのため籠城軍は城主を謀殺された腹いせに、そなたの伯母を磔上に張り付け、槍で突いて……」

「お願いでございます。思い出させないでくだされ。あの時のことを考えると、己れが嫌になりまする。お願いでございます。どうかこの話、ご勘弁願わしゅうございます」

光秀は身も世もないほどに狼狽《ろうばい》していた。

「分かった。つまらぬことを思い出させたことを許せ、惟任。だが、この話は御帝も存じあげておられること故の」

「なぜまた、一介の武将の争いごとまで、御帝様が」

「永禄三年の御帝の即位式の御費用は、波多野兄弟が、毛利元就殿を説いて献上させたものなのじゃ。今もそうじゃが、その頃、御帝のお手元は極度に式微《しきび》しておってのう。この二人の恩義、麿《まろ》らは決して忘れられぬ。それ故、二人の命運は我らにとっても他人事ではなかった。当然、そなたの戦いぶりも麿らの関心事じゃった。伯母上の非業の最期を言上申し上げると、御帝は、そなたの心中をお察しなされ、お袖を拭われた。そなたは知るまいがのう」

「それほどまでに、拙者のことを」

光秀は打ち震えて頭を垂れた。

「嘘偽りで申すのではない。その直後、そなたは丹波の新城を周山と命名した。それは、周山公のいる山という意味じゃな。暴虐非道の紂《ちゆう》王を討った、あの周公じゃ」

「そこまで深く考えたものではありませぬ」

「隠さずともよい。周公は古代周国の文王の子、武王の弟、名は旦《たん》。儒教では聖人の一人とされる名君じゃ。この故事から、そなたは城と、そこに至る街道を周山と命名したのじゃ。そして、暗に信長を紂王に準《なぞら》えたと、麿らは読んだが」

「滅相もありませぬ。そんなつもりは毛頭なく、ただ古代の名君に肖《あや》かりたくて名付けたに過ぎませぬ」

「では、麿の深読みか。御帝は、そうはお考えなさらなかったぞ。この時の御帝は、明智光秀はかくも碩学《せきがく》の人。必ずや自らを紂王を討った周王に準えたに違いない。一度、会ってみたいものよ、とまで仰せられた。もし光秀が、後醍醐帝に尽くした楠木正成のように、いつか我々のために働いてくれることがあれば、どれほど頼もしいことになろうかと、ご尊顔を輝かされたものじゃ。唯一人、頼りにしておられた越後の上杉謙信公を突然に失ってお寂しかったこともある。だが、聞けば、そなたの娘婿の左馬助は、備後三宅氏の児島高徳《こじまたかのり》の血統の者というではないか。それは真《まこと》か」

「さようにございます。元は三宅弥平次と申し、備前児島の常山の生まれで、亡父は三宅徳置と申す国人。祖は三宅備後三郎、俗名・児島高徳に溯ると伝えられる名門の出でございます。縁あって我が娘倫と娶《めあわ》せ、明智左馬助を名乗らせておりまます」

「三宅三郎は、後醍醐の帝が北条氏に追われ、隠岐《おき》に流されあそばされた時、帝がおわした院ノ荘の御館に忍び入り、庭の桜の幹を削り《天勾践《こうせん》を空しうするなかれ、時に范蠡《はんれい》なきにしもあらず》の詩文を残して、御落魄《らくはく》の帝をお慰め申し上げたと伝えられている。この話は、今も宮中の明るい語り種《かたりぐさ》の一つじゃ。何代もの帝が、この言葉にどれほど勇気づけられたか分からぬ、と聞いておる。殊に信長に脅される今上の君には尚更のことじゃ」

「恐れ多いことにございます」

「三宅三郎は、この詩文を持って帝をお慰め申しただけではない。そのこと、そなた碩学ゆえに、とくと存じておろうが、この後も三郎は姿勢を変えず、後醍醐帝のお隠れになられた後も、各地で抵抗を続け、倦《う》むことを知らなかった。最後は男山に兵を挙げ、武運つたなく没したというが、正成に勝るとも劣らぬ忠誠、御帝も磨らも、どれほど心強く思っていることか、そなたは知るまい。よき娘婿を得られたものじゃ。早速、都に帰った暁には、一番に左馬助の話を御帝に申し上げよう。どれほどお喜びになられることか」

「有り難き幸せ。左馬助にもこの話を伝えましょう。彼の者も喜ぶに違いありませぬ」

「それにつけても、我ら、そなたとは何とも不思議な縁があるものじゃと思うておる。そこでどうかな、光秀殿、いや周山公殿。この御帝のお気持ちを汲まれて、ここで娘婿共々に北面の武士を買って出てくれるなら、麿は喜んでそなたを推挙したいのだが」

「官職のお取り立てでござるか」

「何なりと申すがよい、たとえ左大臣あるいは征夷大将軍でも、そなたの望み次第じゃ」

「官職など、欲しゅうはありませぬ。それまでに我らが主のために御帝が御宸襟《ごしんきん》をお悩ませとあれば、拙者このまま見過ごすことは、できませぬ。ここで覚悟を決めましてござりまする。光秀に《信長討伐》の御綸旨《ごりんし》をくだされませ」

光秀は、顔を上げ、吹っ切れたように言った。

「それは、いと易きこと。これ以上、信長が御帝に退位を突き付けるような無体を申すなれば、我らもまた《前右府追討》の綸旨を発せざるを得ぬと、心に決めておりましたぞ」

「それは、真《まこと》でございますか、で、御綸旨は誰にお出しになるのでござりましょうや」

光秀の顔が、次の言葉を期待するかのように紅潮していた。

「誰にとは言えぬ。まだ決めていないと言うべきかも知れぬ。だが、信長が今、滞在する京の本能寺に一番近く、兵をすぐにも動員できるは、そなたしかおらぬ。それで察しがつかぬか。こたび、信長は慢心しきって、守兵も伴わぬまま、小姓等三、四十人ほどで上洛しおるのじゃ。本能寺は、今は無人じゃ」

「本能寺が守兵もなく無人ですと！　それは、真にございますか。あれほど細心なお屋形とも思えませぬが」

「信じられぬなら、気の済むほどに、忍びを送って調べるがよい。間違いなく、今は空じゃ。そなたなら赤子の手を捻るようなものではないのかの。さすれば綸旨のこと、大船に乗った気で、この前久に任せよ。いや、夜も更けましたな」

最後は他人事のように言い、ずいと立ち上がった。光秀に押し留める間を与えなかった。

その時、さらりと縁《えん》の引戸が開けられ、秋の西日がさっと部屋に差し込んできた。二人の姿は、陽光の中に一瞬の内に煙のように消え、白昼夢は去った。

「これは、これは。掃除にかまけて、うっかりいたしました。吉風様をお構いもせずに、こんな暗い所にお立たせしたままで、とんだ不手際なことを。さぞ、ご不自由なされたのではありませぬかな」あたふたと平左衛門が声を掛けてきた。

「いや、いや。お構いなく。あれからずっと、庭の花菖蒲があまりに美しくて、つい見とれておりましたので」

牛一は、まだ白昼夢から完全には覚めていなかった。現実と夢想がはっきりしないまま、迂闊《うかつ》に答えた。

「庭の花菖蒲？　さて、庭には何も咲いておりませぬが。ああ、あの花菖蒲図の屏風《びょうぶ》のことでございますね」

平左衛門に言われて振り向くと、部屋の奥に白い花菖蒲を描いた半双の屏風が立っていた。

「さすが、吉風様はお目が高い。これは、有名な土佐光信様の作にて、茶屋様ご秘蔵の名画の一つでございます。この皐月に、京のさるお寺の高僧様がお見えになられた時、是非とも見たいと仰せられて展観いたしました。うっかり立てたままとしたのは、私どもの落度でございます。その後、私めが夏風邪を引き、思いのほか長引いたせいもございます。このまま茶屋様が来られたら、とんだご叱責をいただく所でございました。早速、何か無難な唐絵物とでも換えておきましょう」

平左衛門は下男を呼ぶと、光信の屏風絵の収納をあれこれと指示した。終わると、元の、笑顔に戻った。

「そうそう、吉風様お目当ての前久様の書は、これ、こちらの額でございますよ」

背後の鴨居を見た。長さ三尺ほどの扁額《へんがく》が懸かり、《両忘《りょうぼう》》の二字が躍っていた。額の左の隅に前太政大臣、その横に臣前久とある。

「ほう、これは貴重な」

「で、ございましょう」

平左衛門は、牛一の「貴重な」という言葉を取り違えたが、牛一は黙っていた。

近衛前久は、僅か六歳で従三位となり、翌年から、朝廷の官位を総嘗《な》めにした五摂家の若き俊英であった。その後、右大臣、左大臣、関白と上り詰めたが、太政大臣を務めたのは、本能寺の変のあった天正十年二月から五月までの僅か四カ月しかない。

そのことを牛一が側近として鮮明に記憶しているのは、当時、この職を、信長さまに譲ることで、引き換えに正親町《おおぎまち》天皇の退位要求を避けたいと前久が策動していたからである。

もちろん、信長さまは一笑に付された。元々、太政大臣は名目上は最高の官職だが、令文では「天子の道徳の師、四海の民の規範」などと記されるだけで、関白と違って、具体的な職務はない。適任者のいない時は欠員とされるため「則闕《そっけつ》の官」といわれる閑職に過ぎない。そんなもので誤魔化される信長さまではなかった。

（となると、この扁額の書かれたのは、本能寺の変の直前の、ごく僅かな期間ということになる）

それが「貴重」といった真意である。もしかすると、これは、先程の白昼夢の頃――光秀の接見があったと思われる天正十年前後かも知れない。となれば、扁額は、二人の接触の一つの傍証になる。牛一は矢立を出し、《両忘》の二字と共に、この旨を付記した。

牛一が矢立に書き留めている間、平左衛門はじっと待っていたが、しばらくすると痺《しび》れを切らして声を掛けてきた。

「これは失礼した。何か」

「お済みになりましたでしょうか。でしたら、是非お聞きしたいことがございます。この字の意味でございます。私めはもちろん、茶屋様もご存知ないのでございます。近衛様は来られても、ただ笑って教えてくれませぬ。他の公家方は、前久様に聞くのが筋と言われて、これもお答え戴けません。如何なものでございましょう、この意味がお分かりでしたら、手前に是非とも」

「承知しました。私の知る限りでは《両忘》とは、生と死の両頭を断ち、忘《ぼう》じ尽《つ》くした心境になることを言います。禅宗の言葉です。生と死を対比するから、苦と楽の両頭が持ち上がる。その両方を切れ、というのが本来の意味でございますが」

「はてさて、よく分かりませぬ」平左衛門は困惑顔で首を捻った。

「でございましょうな。死も生も、なかなかに我々俗人には断ち切れるものではありません。しかし、日頃から一つしかない命のやり取りをなさるのがご商売のお侍様は、この、何となく分かったような分からぬような、片意地張った禅宗の、判じ物のような言葉でも有り難がるのでございますよ。我々俗人には分からなくてよろしい。別に知らずとも大したことではありませぬ」

平左衛門の表情が明るく、僅《わず》かに朱が差した。

「それをお聞きして安堵いたしました。このような、たった二字、知らぬは恥と、永年、思い込んでおりました」

「それよりも、前久様を始め、公家様の別邸でのご滞在の方々全ては、茶屋様の側で接遇の全てをご用意されるのでございますね」

牛一は言葉を選び、注意深く訊ねた。

「もちろんでございます。それはもう、一切合切《いっさいがっさい》でございます」

「その時、公家衆がお連れになるのは、何人ぐらいでしょうか」

「お人にもよりますが、お忍びで来られるので、近衛様でもせいぜいが少数の番衆のみでございます」

「供御方《くご》（料理人）やお女中方などは」

「もちろん全て、当方で用意します」

「地元の女子衆は、その都度お集めになられるわけで？」

「主だった者は、京大坂から呼びまする。粗相があってはいけませぬからな。しかし、この近在でも、地主たちに一声かければ、京大坂に遜色のない女子は造作もなく集められます。皆、お公家様からのお呼びと言えば、飛びついて参ります。いつかお手がつく機会があるやも知れずと。吉風様も、この辺りのご興味がおありかな」

平左衛門は意味ありげに笑った。

「いやいや、別に。そのほうの興味は、とんと。年齢でござればの」

だが心中で（いずれ、その女子の何人かに当たってみなければならぬな）と思っていた。白昼夢だけでは、あまりに心許《こころもと》ない。あの光景の生証人が欲しかったのである。

牛一の夢想は更に飛躍した。前久が、自分の見た白昼夢のように光秀と接見したとすれば、話の内容は、控えの者を装っていたと思われる伊賀者の男女を通じて、茶屋四郎次郎にも間違いなく伝わっていたはず。それは、そのまま茶屋の庇護者であった徳川家康に筒抜けだったことになる。

（本能寺の変の時、三河殿の逃げ足が速かったのも道理）

牛一は、ふと当時を回想した。

徳川家康は、この年の五月初旬、信長さまの招聘《しょうへい》を受け、ごく少数の部下を連れただけで上洛の旅に出た。京で五月十四日から七日にわたる接遇を受け、行事を無事に終えた後、五月二十九日からは堺に足を伸ばした。翌六月朔日の夕刻は、堺の松井友閑方で今井宗久等との茶会と酒宴、幸若舞《こうわかまい》鑑賞の後、茶屋四郎次郎の堺の別宅に宿泊が予定されていた。

ところが、その夜半、家康は、なぜか茶屋四郎次郎宅に寄ることなく、四郎次郎と服部半蔵等の誘導に従って堺を出発していた。それも枚方《ひらかた》から、京を避けるように南側を横切り、山城の宇治田原に向かって馬で、細い山峡の道は徒《かち》で、走り続けたのである。

一昼夜、およそ十八里（七〇キロ）の長距離。四十一歳の武将の行動としては、不可解なほど疾風の移動であった。後に、この行動を、天下を取った関白秀吉にからかわれた時、家康は笑って誤魔化したと聞いている。

「いやいや、太閤殿下の《中国大返し《おおがえし》》ほどではございませぬ」

秀吉は苦笑いする他なかったらしい。

（その秘密の種は、ここにあったのだ。そうでなければ家康は、本能寺の混乱に巻き込まれていた。光秀の謀反で最も漁夫の利を得たのは、秀吉と思うたが、案外にあの狸親爺だったということか）

牛一は、世の中に不思議など存在しないことを改めて知らされた。

（だが、それならば、今も不思議のままに放置されている信長さまのご遺骸は、どうなのか、どこへ消えたのか）

牛一の疑問は、堂々巡りで、再びそこに戻るのであった。

7

十月中旬に天満の隠居所に帰ると、牛一は早速、二通の手紙を書いた。一通は愛宕権現の臨時神官・田屋明人宛。これは過日の滞在中の礼状で、陸奥の国の干昆布を土産に付けた。

もう一通は近衛前久宛で、宛先は隠棲中の東山慈照寺東求堂気付、とした。豊臣家所縁の者から、では警戒されると思い、大坂在の薬種商の隠居・吉風の名で出した。名目は、揮毫依頼。併せてご挨拶のため参上したいと付記した。会っても、信長さまの側近であったこちらは顔を知っていても、相手はこちらを覚えてはいまい。会えば何とか前久と光秀の接点が摑めるのではないか、せめて、その匂いだけでも嗅ぎたかったのである。

手紙を書き終わると、書庫に入って書類探しを始めた。雑書類の箱が多いため、つまらぬ難渋をしたが、半刻ほど掛かって、ようやく目的の黄ばみかかった一枚の紙を見つけた。

大村由己の筆で、落首《らくしゅ》が一句書かれている。

十四年前の天正十年六月下旬のこと。その月の十六日から本能寺の焼け跡に晒《さら》された明智光秀の首の傍らの河原石の上に、ある朝、小石を重しに載せて置かれた短冊があったという。たまたま、京の町衆の、光秀の首見物の様子を見聞に行った由己が目ざとく見つけ、内容を写し取った。石の上に置かれたのは、由己の説明によれば、光秀の首台が高く置かれすぎて載せられなかったためらしい。

光秀は、本能寺急襲によって、易々と信長さまを亡き者にした。しかし、高松城攻めを休戦に持ち込み、急反転して信長さまの弔い合戦を挑んできた羽柴秀吉に、あっさりと敗れ去った。やがて、大金の賞金の懸けられた首が、藪の中から拾い出された。なぜか顔面は皮が全て剝ぎ取られ、ただのどす黒い面に過ぎなかった。光秀の特徴であった、薄い頭髪、細い眉と鼻、そして、当時「天眼《てんがん》」と呼ばれた、瞳孔のやや上に上がった目付きの、どれ一つも確認できない。勝者の羽柴秀吉は首実検に自信が持てず、さりとて勝利宣言として首は晒さなくてはならず、黒田官兵衛の入れ知恵で、首台そのものを途方もない高所に置き、道行く人々に覗き込めないように工夫したのである。河原に置かれた落首の短冊は、一刻を経ずに京都所司代によって持ち去られ、今では次の落首は幻の存在である。

にっしゅうは　このえどこへと　とめゆきて
ほそかわもなき　やぶにざすゆめ

由己と二人、解釈についてそっと話し合ったのは、その夜、仲間のいる場所を避けた牛一の役宅でのことだった。にっしゅうとは日州こと光秀の呼称である。このえは近衛前久、ほそかわは細川忠興の意味で、「明智光秀は、近衛前久は何処かと尋ね歩いた。娘婿の細川（忠興）にまで捨てられ、藪の中で夢破れて座すのみとなった」が大意で、二人の意見に違いはなかった。今、改めて出してみて、一昨日の水尾での白昼夢と併せて（なるほど）と思った。

「一体、作者は誰か」当時は意味より作者に二人の興味があった。

「大方、明智の残党、それもかなり名の有る人物の手によるのではないか。拙者の見た短冊は、筆も達者だった。明智の内部の者でなければ、ここまでは詠めぬ」

由己は確信ありげに胸を叩いたものだ。

「しかし、光秀はなぜ、あれほど近衛様を捜し求めたのであろう」

牛一は、むしろ、これを問題とした。

（一昨日の水尾の白日夢で、この疑問が、やっと解けたぞ、由己。明智殿は気の毒に、まんまと前久に謀《はか》られ、謀反人に仕立て上げられたのだ。さぞ、ご無念なことであったろう）

牛一は一人、書庫の高い天井に向かって呟いた。

光秀の京制圧は「明智の三日天下」と言われたが、正確には十一日である。この間、短時日のうちに信長さまの安土城を始め、近隣の瀬田城（城主・山岡景隆。）城を破壊し山中に避難）、長浜城（城主・羽柴秀吉。中国筋遠征中で在城の妻妾は北陸方面に避難）を落とす、天晴れな攻略であった。

しかし、その他の日時を、光秀はほとんど京に留まり、朝廷との政治折衝に費やしている。安土城から没収した銀六百五十枚のうち、五百枚を禁裏と誠仁親王へ、百枚を京五山へ、五十枚を吉田神社宮司・吉田兼和に贈呈していることからも推測される。それほどまでに約束の御綸旨が欲しかったのである。それでなければ、謀反人の汚名を着るのは目に見えていた。

だが、肝心の朝廷との仲介役であった近衛前久が、六月二日以降行方を眩《くら》ましたため御綸旨は宙に浮いてしまった。

後に、前久は嵯峨に隠れ、『竜山』と号していたと判明したが、光秀は最後までこのことを知らずに死んだに違いない。落首の前段はそれを暗示する哀れさが漂う。

一方、前久は秀吉が天下を取った後も、なお秀吉に追われ、最後は浜松に下って、徳川家康の庇護を求めている。白昼夢の経緯を考えれば頷ける。逆に、白昼夢が事実でなければ、ここまで前久が秀吉に追及される理由はない。秀吉は、何らかの方法で、二人の動きをいち早く察知していたと考える他はない。

では、光秀の欲しがった御綸旨そのものは何処に消えたのか。正親町帝は臣下を騙《だま》すお方とは思えない。とするなら「信長追討」の御綸旨は、一旦は間違いなく出た。それを中間で、誰かが隠した。東上する秀吉との戦いを、天秤《てんびん》に掛けての隠蔽《いんぺい》であろう。

「出された御綸旨を、その時、そして今も、誰が持っているのか？」

大胆な推測をすれば、銀五十枚を貰った吉田兼和が最も怪しい、と牛一は睨んでいる。

光秀もそう思ったからこそ、大金を与えたのではないか。牛一は、たった一枚の落首から、ぼんやりとそんな裏事情まで考えていた。

落首の後段の「ほそかわ」は、光秀の娘婿の細川忠興が義父を裏切ったことへの詠嘆である。この時、忠興は、妻のたまを山中の牢に押し込め、自分は剃髪して寺に籠もった。

（どちらも、剃髪して逃げたか）

坊主とは、何と便利な隠れ蓑よ、と思った。

長い黙考の末、牛一は読み直した落首を再度、書庫に、今度は丁寧に納めた。次に、当時は後追いで書き留めておいた本能寺の変と、これに続く山崎の合戦についての手控えを引き出した。本格的な執筆に掛かる前に、新しい書見所でもう一度、読み返して記憶を新たにしたかった。ただ、そこに書かれた内容は、牛一が当時は京にいなかったため、全て関係者の聞き取りである。

本能寺異変のこと・覚書　天正十年壬午　太田和泉守記

天正十年水無月二日払暁《ふつぎょう》、明智光秀、兵力不在に乗じ、本能寺を一万三千の兵をもって取り囲み、信長さまを焼き打ちせり　なぜの謀反かについては、議論百出して定まらず

本能寺襲撃の一刻後、妙覚寺の勘九郎殿（信忠）も襲われたり　勘九郎殿、早々に本能寺の父君救援を諦め、手兵四百を二条屋敷に移し合戦に及ぶまでもなく同所にて敗る　勘九郎殿のみ切腹、追い腹切るもの僅か二名とは驚くべし長益殿（信長の弟）にありては甥の切腹を見届けるや別間に消え、逃走せりとのことなり　但し、後にこの当時、他所にあり、これを全くの濡れ衣と弁明されたる由とは大村由己の聞き及びたる所なり　いずれが真か不明なり　ただ、京童、この長益殿を囃《はや》したと思われ、以下のように歌ったと聞き及ぶ者あり

一興のため左に記載す
オ腹召セ召セ　召サセテオイテ吾ハ安土へ逃ゲカエル
六ツキ二日ニ大水イデテ　織田ノ原ナル名ヲノコス

付記　織田方死傷者数
本能寺在陣　　　小姓衆二十六名
　　　　　　　　中間衆二十四名他三名
二条屋敷在陣　　武将、兵士併せて
　　　　　　　　六十余名也

右ご遺骸の内、本能寺在陣の二十数体、二条屋敷在陣の数十体は　織田家菩提寺の阿弥陀《あみだ》寺（西の京、芝薬師蓮台野）に収容され、座主・清玉《せいぎょく》上人の手により茶毘《だび》に付されし由也　されど、本能寺分のうち信長さま、蘭丸、愛平、宮松の四名、二条屋敷の勘九郎殿のご遺骸は、明智軍二日早朝より、三日に亙り本能寺焼け跡を捜索せるも発見できずに終わりたりとぞ　後に羽柴秀吉、信長さまの葬儀を早々に執行せしと称する阿弥陀寺に部下を派し、清玉上人に、ご遺骨の行方を質すも答えなく　ご遺骨の引渡しを拒まれたまま引き下がりしと

の噂あり　阿弥陀寺座主・清玉上人より賜ったという織田信長公の戒名、以下の如し

捴見院殿大相国一品泰巌大居士

山崎合戦のこと・覚書　同年　同人

天正十年水無月十三日　山城国山崎付近にて明智光秀　東上せる羽柴秀吉と衝突　雨中にて合戦に及びたりとぞ　両軍戦力以下の如し

明智光秀軍　一万七千

内本隊　一万

同・近江衆　三千

同・津田与三郎　二千

旧室町幕府衆　二千

明智左馬助軍三千は安土に残留

羽柴秀吉軍　三万
内羽柴本隊　二万余
池田恒興　五千
高山右近　二千
中川清秀　二千五百
明智軍の劣勢　娘婿細川忠興の援軍五千　大和・筒井順慶九千の加わらざるによる也
合戦、一刻足らず　明智軍敗走
敗走の明智光秀　勝竜寺に籠もり　夜間曇り空の闇に乗じ　少数の部下従えて脱出　自城坂本に向かう途中　桃山北から小来栖《おぐるす》にて土民の襲撃をうけしという　これより以下の二説あり　一説は此処にて深手を負い自刃　家中の某光秀の介錯人となり、一旦その首を藪中に埋めたり　他説は　なお逃走を続け、行方定まらずと

追記　天正十三年乙酉
本能寺異変にて右行方不明のご遺体の内　勘九郎殿のご遺骨は　後に阿弥陀

寺より大雲院に移されし由　三年を経てのご遺骨の発見等の経緯一切不明也

追記　天正十六年戊子
明智家菩提所坂本西教寺にて光秀の七回忌密かにありたる由
以下明智光秀殿戒名
　秀岳宗光大禅定門
反逆汚名ゆえか　戒名に明智の明、智いずれもなし　大居士、居士まで避けたるも哀れ也

十数年ぶりに読み直して、牛一は明智側の本能寺襲撃の事情については、信長さまのご遺骸の件を除いて、ほぼ全貌が呑み込めた気がした。だが、一旦拡げた牛一の推理の翼と情熱は、書庫を出て、書見所に座った後も、容易には収まりがつかなかった。

（では、この時、攻め上ってきた羽柴秀吉の側の事情はどうなのだ）

牛一は手焙り火鉢もない書見所にごろり横になると、天井の隅の由己に向かって

語り掛けた。

「由己よ、俺もお前も、これまで無責任な秀吉礼賛の戦《いくさ》ぶりを書いてきたが、どうもおかしくないか、とこの頃、思い始めたのよ。第一、秀吉の《中国大返し》は話が上手《うま》すぎるわい」

高松城で、織田の援軍を待ち侘びていた羽柴秀吉軍に、光秀から毛利に出した、「信長討伐」の密書を持参する密偵が、誤って紛れ込んだ、という話が眉唾《まゆつば》の始まりである。

毛利には元将軍・足利義昭が保護を受けていた。光秀が捨てた元の主君である。確かに、羽柴秀吉を迎え撃った山崎の合戦では、旧室町幕府軍二千の援軍を得ているが、元将軍という寝た子を起こす手紙を、光秀がむざむざ書くだろうか。それも、官兵衛と秀吉以外に誰も手紙を見た者はない。

そうではなく、手紙は秀吉その人に宛てたものではなかったのか。

光秀は、秀吉に戦線遅参の詫びを兼ねて、信長さま討伐に私心がなかったこと、朝廷から近く御綸旨まで賜る等の事情を語り、その後の方策について、手紙で呼び掛けたのではあるまいか。これが牛一の第一の疑惑とその推理であった。

第二の疑惑は、毛利との和睦である。光秀の謀反を知ってから和睦成立まで、あまりにも話が上手く行きすぎないか。和睦の話は毛利の外交僧・安国寺恵瓊《えけい》辺りとの間で、もっと以前から進んでいたのではなかったのか。それは、高松城の水攻めの危うさと、光秀の動きへの不安が重なったものに違いない。そうでなければ、あれほど手際よい《中国大返し》など、できるわけがない。

（奇跡には必ず裏があるもの。歴史とは勝者の作り話に過ぎない）

これは多年にわたって、信長さまの、一見鮮やかな勝利の陰に、どれほどの陰湿な駆け引きや陰謀があったかを、自分の目で見てきた牛一の結論であった。

（何処か山陽道の姫路と岡山の間ぐらいに、秀吉が安国寺と密かに会った所があるはずだ。これは、行かなくては分からぬ。行っても分からないかも知れぬが……）

また、むずむずと旅の虫が蠢《うごめ》いた。

第三は、もっと激しい秀吉への疑惑である。あれほどの大軍を動員できた秀吉は、何処にそのような《打出の小槌》を持っていたのか。その推理は、信長さまの側近として、山陽筋の平定を命じられた秀吉と、山陰筋の平定を命じられた光秀の二人の報告を受けて見比べる牛一だけが知り得たことである。つぶさに秀吉の動きを見ると、秀吉は西に向かって前に、前にと進みながら、明らかに北方に迂回し、光秀の前面進出を阻止する形に戦線を拡大している。鳥取城攻めが好例である。その真意は、生野《いくの》銀山の確保にあったのではないか。

（生野の銀の生産を信長さまに過少に報告したか、あるいは生野に金の大鉱脈があったのを秀吉は隠していたのではないか）

この疑惑を、二十年以上も前から牛一は持ち続けていた。誰にも口外できることではない。言えば首が飛ぶ。さすがの由己も、天井の隅から心配そうに覗いていた。

「案じるな、決して口外はせぬ」生きている者に言うように牛一は呟いた。

「いいかげん『信長記』の執筆にかかったらどうだ」

天井の由己から初めてそんな声が聞こえた気がした。


牛一は書見所を出ると、小用に行き、肩をぐるぐると回してみた。左肩にしこりがあり、少し痛む。地震で抜け出す際に痛めたものである。まだ治らない。ふと年齢を感じた。

（山陽道をまた旅したいが、そんなことをしていては、いつまでも、あれが書けぬ）もう十歳若ければ、とも思った。

小用から戻ろうとした時、ふと庭の入口の大戸で何か動く気配があった。出てみると小さな襤褸布《ぼろきれ》に包まれた物が動いた。その中から老婆の顔がひょいと覗いた。

「何だ、伏見の婆ではないか」

「ああ」老婆の間の抜けた声が跳ね返ってきた。

「一体どうしたのじゃ」

「追い出されただ。殿様、ここに置いてくれろ。お頼みしますだ」

泣き崩れた老婆は、伏見で使っていた地元の貧しい百姓の出であった。後妻で、子をなさなかった。聞けば、地震の後に連れ合いが腰を痛めて動けなくなり、先月亡くなったという。連れ合いがいなくなった途端、義理の息子夫婦に邪慳《じゃけん》にされ、食事も与えられなくなったと、こぼした。

「ここが、よく分かったな」

「佐々木様の所に移った若党の才蔵に探してもらっただ。給金は要らねえ、ご膳だけ戴ければいい」

「勝ち気な婆が、どうした。泣くな。奥の納戸の隅にでも寝ろ。お前が居れば、今の飯炊き女は暇を出すから安心せよ。お前のほうが拙者の好みを知っている。許す」

婆は又、泣いた。追い出すわけにもいかない。仕方なく、ここに住まわせることとした。

こうして、押しかけ婆と共に、いよいよ本格的な執筆が始まった。

文禄五年十月中旬、慶長への改元まで、十数日を残すのみの、初冬のことであった。

第三章　捨万求一《しやばんきゆういつ》

1

文禄五年は、二カ月を残す十月二十七日をもって慶長と改元された。慶長の最初の冬と翌春を、牛一は全てを擲《なげう》って信長さまの伝記の執筆に没頭した。口の減らない伏見の押しかけ婆に、

「太田の殿は牛から熊になられた」と、軽口を言われる程の、徹底した冬籠もりであった。唯一の他出《たしゅつ》が、その婆のためであったのは、皮肉としかいいようがない。

春も深まったある日、

「お身体のためには、お花見ぐらいなされたらどないどす。今年は吉野の千本桜が、それはそれは、見事だそうけに」

と、婆に観桜を勧められた。自分がまだ見たことがないから、そう言うのであろうと、牛一は気を利かして、

「桜なら、この隠居所の庭の隅にも、近くの天満宮にも咲いておる。今の拙者は、それで十分。見たいなら、婆一人で安気《あんき》に行くがよかろう。そなたはまだ足が達者じゃが、それでも道中は、行き帰りだけで、四日は掛かろう。気ままに奈良でも吉野でもよいから、二泊でも三泊でもするがよい」

約束どおり、頑《かたく》なに賃金を取らない婆に銭を与えるいい機会でもある。顔を赤め、嬉しそうに頷く婆を、

「では、暇をやるから行ってこい。拙者のことは心配するな。折角じゃ、晴れ着も買うてやる。それを着て行け。疲れたら無理せず、どこぞにでも泊まってくるのだぞ」

近所の呉服屋で相応の身づくろいを整え、十分な銭を持たせて送り出した。

五日後に婆は戻ってきた。帰路で大雨に遭ったといい「せっかく買って戴いたべべを台なしにしてしもうた」とこぼしたが、吉野の桜については感激一入《ひとしお》だった。

「あんな仰山《ぎょうさん》な桜、初めてどす。陽が昇ると、蕾《つぼみ》の桜まで目の前で開いて、ほんに、極楽浄土の景色やった。これで死んでもええ、死んだ爺《じ》さまにも、冥土《めいど》のいい土産

話がでけた」

この言葉どおりとなった。慣れぬ旅で風邪をひいたかも知れないと、その夜、早々に引き下がったが、翌朝、一向に朝餉《あさげ》の支度に出てこない老婆を見に、納戸の隣の小部屋に行くと、布団に包《くる》まったまま死んでいた。吉野桜の夢でも見ていたのか、寝顔には微かな笑みが残っていた。

「急いで爺《じ》さまのところに話しに行ってしまったのか」

牛一は哀れに思った。

若党の才蔵を通じて、伏見の実家に伝えたが、家から出ていった者ゆえ関係はない、との冷たい返事。仕方なく老婆の所持品を整理し、意外に小銭を貯めていたのに驚いた。その銭で近所の寺に事情を話し、ささやかな供養を済ませ、寺の隅に小さな石の板碑《いたび》を建ててやった。残った銭は、近くにある施療院の同じような身寄りのない者たちのために寄進した。この二、三度の近所の寺や施療院との往復だけが、牛一の他出であった。その他は、朝も昼も夜もなく筆を走らせ続けた。食事は新しく雇った水仕女《みずしめ》の出すものを、ただ掻っ込むだけ。食べ終わると、再び書机に向かった。身体が鈍ったと思うと、時を構わず、木刀を振りこみ、信長さまから教えられた角力《すもう》の四股《しこ》を踏んで、足腰を鍛えた。

ここまで執筆に没頭できたのは、偏《ひとえ》に愛宕権現神官・田屋明人のお蔭であった。十月の帰坂早々に書いた牛一の礼状に対して、明人から心づくしの干し柿と共に返書が送られてきたのは、慶長に入って間もない十一月である。

返書には明人が愛読する『徒然草』百八十八段の次の一文が、紙背短冊に書かれていた。

一事を必ず成さんと思はば、
他の事の破るゝをもいたむべからず
人の嘲りをも恥づべからず
万事にかへずしては
一《いつ》の大事成るべからず

見事な御家流の筆法である。紙背短冊はそのまま書見所の違い棚に、今も大事に飾ってある。それとは別に、百八十八段の意味を、もし著名な書家に扁額の揮毫《きごう》で依頼されるなら、次の四字がよろしかろうと、親切に唐語まで添えてあった。

捨万求一

「なるほど」

兼好法師の美文も、四文字にすると、こうなるのか、見事な明人の解釈だ。まるで牛一が、近衛前久《さきひさ》に揮毫を依頼するのを見透かしたような明人の配慮であった。

だが、同じ頃に出した前久への手紙には、「旧痾《きゅうあ》（持病）にて御静養中ゆえ、面談の儀は平に謝絶」との、つれない返事が家司から来た。

ところが、扁額の揮毫については、「是非にとのご依頼とあれば、当方から特に言上申し上げてしんぜよう。但し、揮毫料、金十枚を申し受ける」と、吹っかけてきたのには、苦笑いした。

ともあれ、明人の励ましが牛一の腰を落ち着かせた。

違い棚の「捨万求一」の紙背短冊を眺めるまでは、心の中で二人の牛一が葛藤していた。信長さまという不世出の英雄の忠実な伝記作者・太田牛一と、信長さまの死を巡る真相追究者・太田牛一である。京都と愛宕権現での、予想以上の収穫が二人の牛一の分裂となったのだが、辛うじて慶長二年の前半は、伝記作者・牛一が保たれたということである。

五月雨そぼ降る五月中旬。信長さまの十六回目の命日を十日ほど余して、牛一は、三部作の内の第二部に当たる『信長記』（永禄十一年から天正十年）全十五巻を脱稿した。全て、史料は自分の日記に依拠している。難しかったことの一つに、やはり不統一な暦の調整があった。日記にどの地方の、どの暦を採用した記述だったかを付記してこなかったための失敗である。各種の暦を引き比べながら推測し、できるだけ信長さまのお好きだった《三島暦》に統一するのに、予想以上の手間を要した。その他は問題なく書き進めることができた。

安土城が既に焼失した今日、この世にある信長さまの事績記録は、牛一の日記のみである。それを基に書いた『信長記』は、この国で唯一の正史となるだろう。今は信長さまの人気はないが、必ずや後世、破天荒の英雄として評価される筈だ。牛一は『信長記』著者奥書に、自負を込めて次のように認《したた》めた。

――我が命、既に尽き果てんとするを、その渋眼《じゅうがん》を拭い、老眼の通路を尋ね書き続けたり。この書、かつて記しておいたものの、おのずと集まりしものにして、断じて余が主観による作品や評価にあらず。ありしことを除かず、無かりしことを付さず。一カ所たりとも虚偽あらば、天、我を許し給わぬべし――

由己の文章に似た過剰表現に(少し面映ゆいが、また日を改めて書き直そう)と、一旦、擱筆《かくひつ》した。

『信長記』の完成によって、この年の後半は、引き続き第一部『信長前記』の完成を目指すつもりだった。来年は、年初から、いよいよご遺骸の謎の探究者・太田牛一だけで生きられる。十七回忌に当たる来年六月二日までには何とか積年の願いであるご遺骸の行方について、なんらかの結論を得なければならない。

（だが、生野銀山の調査の方が、もしかすると先かも知れない。五畿内以西では金の採掘があっても《銀山》を総称するということも人伝てに知った。生野の採鉱の歴史を調べると、まず銅を主とする雑種鉱から始まり、天文の世になって初めて銀鉱が発見されたとの記録がある。しかし、この種の雑種鉱では、銅や銀の選鉱の中に金も混じっているのが常識だという。ところが秀吉からの生野銀山報告には金採取の報告はない。これが不思議だ。臭い。だが、十分な鉱山知識を蓄えなくては、秀吉が信長さまから金を掠《かす》め取った証拠を挙げることはできない。逸《はや》る気持ちだけで現地入りしてはならぬ）

自分にそう言い聞かせると、次第に秀吉の陰謀解明のその先に、信長さまのご遺骸の真相があるような気がし始めた。

牛一は、完成した十五巻の『信長記』を信長さまの仏前に積み上げると、万感の思いを胸に合掌した。

「お屋形さま！　拙者が側近にお取り立てを受けてからの、お屋形さまの事績の数々、ここに書き納めさせて戴きました。これからは、お屋形さまの若かりし頃のこと、無念のご最期を遂げられたことの数々、必ず書き残しまする。どうか、それが完成する日まで、我が命の生き永らえるよう、陰ながらのご支援賜りますように、伏してお願い申し上げます」

仏壇には、新しく雇った通いの水仕女に香華《こうげ》を飾らせ、高坏《たかつき》の上には和紙に包んで三粒のコンフェイト（金平糖）を置いた。書庫の小さな桐箱に入れてある茶壺に数十粒、厳密には四十八粒残っている内の三粒である。秀吉のキリシタン禁止令（天正十五年）が出て九年余、この国からコンフェイトは消えた。今は貴重品である。四十八粒は信長さまから戴いたものの残りであった。

牛一は、このコンフェイトを戴いた日のことを、今もはっきりと覚えている。安土宗論の後、法華宗の二十一の寺の吟味が終わった後のことだから、天正八年正月三日である。

信長さまは暮れから安土城に滞在され、ゆっくり越年された。この年は、慣例の正月宴も行われなかった。丹波に明智、播州に羽柴、上杉謙信亡きあとの越前掃討に柴田と、主力三将が張り付き、その他の中堅武将は全て摂津戦線にあったから、誰からの安土詣でもない。信長さまにとって、宿敵・上杉謙信のいなくなったこの年の正月ほど、心の安まられた年はなかったのではないか。この世に誰も恐れる者がいなくなったという、生まれて初めての解放感を味わっておられたのであろう。残る毛利は遠い。裏切った摂津の荒木村重など、眼中になかったろう。

従って、正月早々お訪ねしたのは、牛一たち側近ばかりであった。

牛一も信長さまの居間へ、近況報告を兼ねて挨拶に出向いた。信長さまは白綸子《しろりんず》の小袖の上に、肩衣の代わりに、南蛮から贈られた猩々緋《しょうじょうひ》の陣羽織を召され、上機嫌で螺鈿《らでん》の椅子に座っておられた。牛一の顔を見ると、いきなり立って厚さ三寸ほどの金蒔絵《きんまきえ》の箱を持って来られると、無造作に蓋を取られた。

「食うてみよ」

相変わらず言葉は単簡。余計なことは一切言われない。それでも自分に対する熱い好意が、微笑に出ていた。言われるままに箱の中を覗いた。信長さまは、そんな牛一の顔を、穴のあくほど見つめておられた。どんな反応をするのか、試しておられたのだろう。

「何でございましょう」

出されたのは、丸い小さな、周囲に突起のある無数の粒であった。薄い茜色《あかねいろ》一色の一粒をそっと摘んで掌に載せて眺めた。

「構わぬ。もそっと片手一杯に摑《つま》め。遠慮は要らぬ。取って舐《な》めて見よ。だが、嚙むな。歯が欠けるぞ」

矢継ぎ早に言われると、ご自分も細い女のようにしなやかな指で、十粒あまりを摘み、ぽんとお口に放り込まれた。

「このようにじゃ」

慌てて信長さまを真似て、五粒ほどに摘み直して口に入れた。恐るおそる舌で転がし、思わず目を閉じた。そうせずには居られないほど異質な甘みだった。突起が溶けると、甘みは更に倍加した。

言われたことを忘れて、思わず奥歯で嚙んだ。じんわりと甘みが舌の上から喉の奥まで流れ落ちるのが分かった。苦みはおろか、連想される植物、穀類の味、香りと一切無縁な純粋な甘みであった。

牛一は、ただひたすら感嘆して、再び目を開けた。目の前に悪戯《いたずら》っぽい微笑を湛《たた》えたまま覗き込む、信長さまのお顔があった。

「甘うございます。驚きました。ひたすら純な甘さでございます。そして、この奇形。何とお呼びするのでしょうか、これは？」

「分からぬ。彼らはコンフェイトと申しておる」

「不思議なものでございますな。この角は如何なる意味があるのか、どのようにしてこのような小さな角ばった物ができるのか」

「そこよ、そこが分からぬ。御帝の推《お》される京の菓子匠を五人ほど集めて、先日、コンフェイトを見せたが、皆、間抜け面して首を傾げるばかりじゃった。ウルガンなどは、そんな菓子匠を見て（こんなものも、この国ではできぬのか）という顔で笑っておったわ。腹が立ってならぬ。呼んだ菓子匠に、余は申し付けた。そなたら、一年経ってもこれができぬなら、御用達菓子匠の名を返上せよ。三年経って出来ぬなら、素《そ》っ首《くび》貰い受けると。一目散に逃げおったわ」

信長さまはいつになく真剣に「又介、これをなぜだと思う」と、更に訊《たず》ねられた。

「大方、菓子匠という権威に胡座《あぐら》を掻いていたか、あるいは、不思議を見れば、ひたすらそれを探るという匠《たくみ》の初心を失ったか、ではございませぬか」

「さすが又介、よくぞ申した。そこよ、この国では、どいつもこいつも勿体ぶりおるだけで、いざとなれば、これこの通り。新しきこと、南蛮の菓子一つの真似すらできぬ。情けない」

吐き捨てるように仰った信長さまの眉間に青筋が立っていた。たかが菓子では済まされない異様なお怒りがあった。

「なぜだと思う、又介。それは無能な者が権威面して、偉そうにしているからじゃ」

「確かに、そういうところも」

「遠慮せずともよいわ」

ここで、初めて声を出してお笑いになると、コンフェイトを大摑みに握りながら宣言された。

「これからの余は、この国の無器用者《ぶきようもの》（無能者）の掃除人になることに決めた。法華も、その塵芥《ちりあくた》の一つ。天下布武は、その宣言ぞ」

「布武」とは戈《ほこ》をもって足でけちらすという意味である。

これが信長さまのご本心を聞いた最初であった。

「お屋形さま。あの時これを戴いてから、十七年。未だにこの国の菓子匠は、コンフェイトが作れませぬ」

牛一は仏壇の位牌に向かい、生きている者に話し掛けるように呟いた。きっとこの報告には、信長さまは苦笑いするより、むしろ悲しんでおられるに違いないと思った。

ちなみに、金平糖が日本で作れるようになったのは、この時から更に百年余り後のことである。極小の飴粒《あめつぶ》を核にして、氷砂糖を煮溶かした糖液をまぶし、掻き回しながら加熱すると糖液が順次、固まって大きくなり、棒状の表面に角状の突起が形成される。当時、この技術が全く日本人には分からなかった。

――仕掛け色々せんさくすれどもついに成りがたく、律義なる他国《ひとのくに》にもよきことは深く秘すと見えたり――

遥か後世、江戸時代の井原西鶴の『日本永代蔵』（五巻）の泣き言である。南蛮人も別に隠したわけではなく、宣教師が製法を知らなかっただけなのだが、菓子玉一つ日本ができないことに対する、この時の信長さまのお怒りは大変なものだった。

「以後、入手できぬによって、拙者、古希よりこの方、コンフェイトの節約に心掛け、毎年三粒ずつ大事に戴くことにいたしました。残り四十八粒。これが無くなる時が、拙者の寿命の到来と算勘《さんかん》いたしました」

しばしそんなことを考えて、静寂が流れた。

『信長記』三部作の内、残る『前記』『後記』の二部作の執筆は、こうして平穏に開始されるはずであった。

ところが、数日後の、梅雨の晴れ間の一日。

「頼もう」という大声が、隠居所の通り庭の大戸から聞こえてきた。庭で働いていた下男と水屋にいた下女の二人が出て、「石田様からのお使いでございます」と注進した。

「石田様、はて、まさか治部《じぶ》殿が」

予想もしない筋の客人である。大戸まで出迎えた牛一の目に、まず映ったのは、《大一大吉大万》という風変わりな家紋を付けた武士駕籠。中から、晒《さら》しの帷子《かたびら》に筒袴《つつばかま》、腰に金色の光る印籠を下げ、拵《こしら》えの立派な刀を手にした中年の武士が現れた。

「和泉守殿、俺じゃ、伯耆《ほうき》じゃ」

名乗ったのは大山伯耆守。一昨年まで関白・秀次に仕え、秀次の不祥事以後、石田三成に拾われた男である。今は島左近等と共に三成の片腕となった。牛一とは何かと縁がある。

伯耆守が関白・秀次の元へ行かされた時も、実は牛一のほうが候補の本命であった。牛一が「執筆大事」と断り、松の丸様の護衛という軽職を選んだため、お鉢が伯耆守に廻ったのである。

「狭い隠居所じゃが、上がらぬか。茶でも進ぜよう」

「そう言われれば、喉が渇いたな。一服、所望といくか」

伯耆守は、ずかずかと遠慮なく上がってきたが、書斎の仏壇に、信長さまの位牌を見ると丁寧に焼香を上げ、どっかと腰を下ろした。

幸い和紙に包んだコンフェイトには気づかれなかった。見つかったら、途端にぽりぽり食われて牛一の命が一年縮むところだった。

「忘れぬうちに、わぬしに伝えておく」

座り直すと、伯耆守は一瞬、真面目くさった顔になった。

「何じゃ、改まって？」

「太閤殿下が、そなたと会いたいと言っておられる」

「何、太閤殿下がこの隠居に？　今さら何故じゃろう」

一瞬、牛一の脳裏に緊張が走ったが、別に思い当たる節はない。あるとすれば、昨年に書いた『大かうさまくんき』であるが、あれは全くのお囃子本《はやしぼん》、むしろ阿諛《あゆ》書に近い。自分の著書から外したいくらいで非難されるところは一点もない。思わず小首を傾げた。

「実は拙者も分からぬのじゃ。子たちの使いのようで済まぬが」

伯耆守は、自分も邪気のない顔に、心底から済まないという表情を浮かべ、ぴょこんと頭を下げた。

「ただ悪い話ではないようだぞ」

「そうかな、それならよいが。どうもお偉い方に会うのは、この年齢になると気が張るでな」

牛一は笑ったが、内心ほっとした。正直、いい年齢《とし》して、米搗《こめつ》き飛蝗《ばった》は願い下げにしたかった。

「実は、会ってやってくれと、殿下に言上《ごんじょう》いたしましたのは、他ならぬ我が主・治部殿での。殿下からそなたに直々に頼み事をさせたかったようじゃな」

「何だろう。今更この老人にできることなど何もないがの」

「頼み事の内容まで、治部殿は口にされぬ。ただ、こう言われた。よき話ゆえ、殿下から直接聞かれるほうが、和泉守殿も喜ばれよう。そなた、耳打ちして参れ、との伝言じゃによって来た」

「治部様のご配慮には痛み入る。宜しくお伝え下され。では、参ろうか。今日は幸い書き物の区切りがついて暇じゃ」

「いや、今日の今日では駄目じゃ。殿下は引っ越しなされている最中。大坂城中はごった返しじゃて」

伏見地震の後、太閤は大坂城に戻った。そこなら天満から目と鼻の先、気軽に歩いてでも行けると思ったのだが、又々何処へ行ったというのか。この十数年、秀吉は、京、大坂の神社仏閣に大枚の金銀を寄進した。自分でも聚楽第《じゅらくだい》、淀城、指月《しげつ》伏見城と湯水のように酔狂な普請《ふしん》、作事を続け、金銀を費消してきた。

これは別に不思議でもなんでもない。全国の金銀山をすべて公儀（豊臣）直轄としたためである。それを自分は『大かうさまくんき』の中で「金銀山野に泉の如く沸き出でて……」などと無責任な美文麗句を並べて追従してきた。我ながら情けない。

そんな牛一の内心も知らず、

「さよう、近日中に大坂城から伏見に戻られる。伏見の木幡《こはた》山に新しい城をお造りになったのじゃ。城でなく、隠居所と申されているそうだが」

「この隠居所とは、だいぶ違うだろう」

「そう愚痴るな。所詮、我らとは尺度の違うお方じゃ。こたびの城は前にも増して豪華だと聞いている。前の指月の伏見城と紛らわしいので、新たに《木幡伏見城》と呼ぶそうな。拙者も、治部殿とご一緒に近く木幡に移る。ともかく、殿下があちらに落ち着かれてから、改めて参上の沙汰があろう。十日ほどのうちだろう。その時も、旧知の関係で、拙者が案内する手筈になっている」

「そこまでのご配慮とは、まこと痛み入る。まずは一服、召されよ」

牛一は、大振りの茶碗に丁寧に茶を点てた。

伯耆守は、ゆっくりと茶を啜《すす》ってから、隠居所をしげしげと眺めて、

「用向きの話は、ここまでじゃ。時にどうじゃ、隠居の身は」

と、問いかけた。

「好き放題やっている。好きな時に起き、好きな時に寝る」

「いい身分だな」

伯耆守は、心底から羨《うらや》ましそうに牛一の書院を見回した。

「それに較べ、拙者いくら時があっても足りぬ。地獄のような毎日じゃ。治部殿は、もっとお忙しい。毎晩、城を下がるのが夜半じゃ。何しろ黙っていると、三河狸がしょっちゅう悪さをしよるでのう。いや、いや口が滑ったわ。このくらいで帰ったほうが良さそうじゃな。今度、伏見でゆっくり過ごそうぞ」

伯耆守は、別れの言葉もそこそこに立ち上がった。

2

大山伯耆守から、改めて伏見参上の要請を受けたのは六月中旬、梅雨も漸《ようや》く上がった初夏である。天満隠居所から、目の前の天満の船着き場まで石田衆数人が随行する物々しさであった。

京に入り、船が新しく宇治川の北岸に設けられた舟入《ふないり》に着くと、船着き場の真上が、新しい木幡《こはた》伏見城であった。

船中で伯耆守に耳打ちされた説明によると、前の指月より地盤がしっかりしているので、この地を選んだとのこと。地震に懲りて、新城の柱は三本に一本は地中五尺ほどまで掘り入れ、要所要所を鎹《かすがい》で締める用心ぶりで作事したこと、など伯耆守の話は執筆の冬籠もりで外の事情に疎かった牛一には有り難かった。

が、一旦、場内に入ると、内部の設計は、以前の指月伏見城とほとんど変わらなかった。唯一、長い回廊の途中で垣間見た《謁見《えっけん》の間》が一段と広く、太閤の着座が更に遠くなったことが目に付いた。これを質《ただ》すと、伯耆守がそっと耳元で教えてくれた。

「淀の方のご発案で、最近は病気勝ちな太閤殿下の顔色を大名に窺《うかが》わせないためでござる。しかし、今日の貴殿とのご接見は、かような他人行儀な《謁見の間》ではござらぬ。和泉守とは昔馴染み、親しく内密の面談をしたいので、奥の居間で待つ、との殿下のご内意で。いやいや、大変なご信頼を得ておられるのですな、和泉守殿は」

（そうかな、太閤の病が進んだため起きられないのではないのか）牛一は、あれこれ疑わしい、複雑な思いで聞いた。

太閤が急に衰えたのは、四年前の文禄二年、五十七歳からである。それまでは全くの病知らずだった。牛一も若い頃は、牛一の名に恥じず、身体の頑健さでは誰にも負けなかったが、当時は新参の小者上がりの羽柴秀吉に敵《かな》わなかった。将になってからも、秀吉は馬の背で眠り、懐の糒《ほしいい》と鰹節を齧るだけで、何昼夜でも野山を駆け巡って平然としていた。細い鼠のような小さな身体の、どこにそんな強靭《きょうじん》さが潜んでいるのかと、密かに感嘆したものである。

しかし、秀吉の頑健さも、信長さまから受けた壮年期の酷使と天下人になってからの若い妾たちとの荒淫《こういん》が祟ったのか、意外なほど早く失われていった。文禄二年十二月、尾張で半月にわたる長期の鷹狩りを行い、生まれて初めてという風邪をひいたのが最初の躓《つまず》きとなった。新年を大坂で迎えるため、無理な戻り旅をして更に風邪をこじらせ、高熱を発したのは、大坂に戻ってからである。翌文禄三年の春からは、小便をちびるようになった。冬季に茶会や能見物を頻繁に催し、その度に排尿を我慢したために膀胱を痛めたのだと、口の軽いお伽衆は噂した。文禄四年になると息《そく》の拾《ひろい》（文禄二年八月誕生）可愛さに、甥の関白・秀次を切腹に追い込むなどの事件が重なり、心労から太閤の病は更に進行した。激しい咳気《がいけ》（肺の病）から、宮中参内を延引し（四年十一月）、方広寺の大政所《おおまんどころ》法要（五年一月）を欠席するという突発事件を起こした。そうなると、世間からも太閤の病は隠しきれない。以後、牛一が去った後の慶長元年からは、太閤ご不快の噂が絶えることなく続いていることを、伯耆守の口から改めて知らされた。

（太閤め、今日こそ、そなたの寿命を見届けてくれようぞ）

牛一は大きく一呼吸すると、開き直って受け身の姿勢を改めた。

衣装を肩衣と半袴の略装礼服に整え、本丸へ向かった。居間の前の廊下の落間《おちま》まで来ると、平伏言上した。

「太閤殿下様。ご用の向きと聞き及び、太田和泉守ここに罷《まか》り越《こ》してございます」

しばらくすると、さらさらと衣擦れの音がして襖が小さく開き、幼児の顔が半分ほど覗いた。肩越しに白綸子の寝間着姿の太閤が見えた。居並ぶ番士が一斉に平伏した。牛一も、すかさず、再度深々と平伏し、一段と声を高めた。

「太閤殿下様には、ご機嫌麗しゅう、そしてまた、秀頼君には、お健やかなご様子、和泉守まこと恐悦至極に存じまする」

挨拶しながら（やはり太閤は今まで伏せっていた）と確信した。

居間の中から断続的な軽い咳が続き、ようやく襖が開いた。

「入れ、和泉。さても久しや」

痰の絡んだ低い苦しげな声であった。だが信長さま譲りの言葉を使うところをみると、機嫌は悪くなさそうである。

許しを得た牛一は、太閤の居室にそっと伺候し、型どおりの色代《しきだい》を済ませた。笑顔を装い、太閤親子の情景を密かに窺う。

二十畳ほどの絢爛《けんらん》たる部屋である。太閤は背景に御所車を描かせた高座に座り、脇息《きょうそく》をやめて愛息・秀頼（昨慶長元年十二月十七日、数え四歳で元服、改名）を自分の膝に招くところだった。それに気づいた侍女が慌てて秀頼を追うが、むずかって、なかなか老父の言うことを聞かない。部屋中をきゃっきゃっと逃げ回り、最後には侍女三人がかりで押さえ込まれて太閤の膝に引き据えられた。

秀頼が部屋を逃げ回ったのは、遊びではない、本気であると牛一は見た。引き据えられた時の、引《ひ》き攣《つ》ったような顔に、本心から父の膝を嫌っている様子が見えた。意外な発見だった。それでも太閤は孫のような幼子を迎えて目を細めるだけであった。

「和泉。その後も相変わらず達者なようじゃな」

「はい、お蔭をもちまして」

「何よりじゃ。今年、幾つになる」

「馬齢を加え、七十一に相なります」

「余より十歳も上か、それで、その壮健ぶり。羨ましいの」

心底から羨ましそうな声である。

「殿下も、お健やかに拝察いたしますが」

「このところ暫くはな。相変わらず咳は止まらぬが、どうやら伏見の山の気と水が身体に合《お》うているのかも知れぬ。大坂に居ると、どうも良くない。そなたはどうじゃ。天満住まいだそうだが」

「生来鈍感なのでございましょう。患《わずら》い一つ、いたしませせぬ。どこでもよく寝て、いつでも食事が美味しゅうございまする」

「さすが、あだ名の通りの牛一じゃ。その名に相応《ふさわ》しいのう」

太閤は黄色い歯を見せて、皺《しわ》だらけの顔で笑った。途端に再び激しく咳き込んだ。

「牛一といえば、昔そなたと安土の馬場で早馬を競ったことを覚えておるか。あれは、いつの年だったか、とにかく薫風《くんぷう》の頃じゃった。安土で信長公に馳走を呼ばれた後、ちと腹ごなしに、とそなたと二人、馬を攻めた。覚えていないとは言わせぬぞ」

太閤は、おどけた素振りで言った。

「天正四年四月、太閤様が、安土城の天守の底石にと、蛇石《じゃいし》を献上なされました。その時のご接遇でございましょう」

答えながら、牛一は、あの頃は、結構自分も（秀吉何する者ぞ）という張り合う気持ちがあったことを思い出していた。

「さすがは物書きじゃ、よう覚えておる」

「それだけが取り柄の愚直者でございます。あの時は鼻の差で負けましてございます」

「いや、違うな、一馬身以上じゃ」

「そうでございましたかな」

「こやつ、とぼけおって」顔は笑っていた。

「その時、そなたの馬が荒い息の中で、余にこう言ったのじゃ、知らぬか」

「はて、私めの馬が、僭越にも殿下に物申したのでございますか」

「そうじゃ。そなたの馬は、喘《あえ》ぎ喘ぎ、余に訴えた。牛を乗せては勝てぬとな、あははは」

流石《さすが》は、人たらしの名人。病気がちで伏せっていても、この程度の即興の軽口が出るのかと、牛一は一緒に笑いながら思った。

その後で茶の接待が入った。牛一の呑んだのは抹茶だが、太閤の茶はどうやら薬湯のようだった。二人の茶碗が下げられると、太閤はおもむろに切り出した。

「さて、そなたを呼んだは、他でもない。一つ頼みがある。いや、正直を申すと、治部からの、たっての頼みじゃが」

薬湯のせいで喉がいくぶん楽になったのか、声が軽くなっていた。

「何なりと、この老人のできますことなれば如何様《いかよう》にでも」

「信長公の記録を書いて欲しいのじゃ」

「これはまた、思ってもみないことを……」

牛一は呆気に取られた。これまで、二度、三度と書かせて欲しいと願い出たではないか。それを無視してきて、今更なにを……という気持ちだった。それだけに、太閤の心変わりが解《げ》しかねた。

「そう言われるのは先刻承知の頼みじゃ。そなたは、以前から信長公のことを書きたいと申しておった。余は、あまり乗り気でなく、いい顔をしなかったが」

「滅相もありませぬ、そのようなこと」ここでは一応恐縮して見せねばならない。

「よい、分かっておるわ。このむら気、太閤に免じて許せ」

「恐れ入ります」天下人にそこまで言われては仕方がない。

「急いでおる。信長公の十七回忌に当たる来年水無月（六月）の記念のためじゃが、その三月《みつき》前の来春弥生末までに書き上げてもらいたいのじゃ。実はな……」

膝の秀頼を離すと、手を叩いて小姓を呼んだ。秀頼は鼻を摘みながら、飛ぶように次の間に消えた。小姓の持参したのは、伏見一帯の地図面であった。

「もそっと、近う来て見よ」

言われて牛一は太閤の半間近くまで膝行した。途端に、ぷんと嫌な臭いが漂ってきた。

（これか、秀頼君が嫌ったのは。太閤の口臭、いや口臭ではない。五臓から上ってきた。

くる臭い、独特の労咳《ろうがい》の臭いだ）

一瞬で判断した。案の定、更に近くで見る太閤の顔は、萎《しな》び、皮膚は醜く垂れ下がり、顔の黒さが染み込むような異常さであった。地図を拡げていた太閤は、そんな牛一の様子に気づかない。

「ここじゃ、和泉。先ほどそなたが登ってきた舟入の真上の山じゃ。ここに、こたび学問所を造ることにした。来年四月の完成を目指しておる。そこの蔵書に、そなたの書を加えたい。治部のたっての願いじゃが、聞いてはくれまいか」

「治部様がそこまでご執心なのは、何故でございましょう」

「それを言わねばならぬな。では、もそっと近う、近う」

これ以上は御免、と言いたいが、天下人にそれも失礼でできない。仕方がない、牛一は一尺ほど更に膝行した。

「そなただから言う。決して口外するな。実はな、治部の内府嫌いが事の発端じゃ」

太閤の話はこうであった。

ある日、大坂城を訪ねた内府（家康）を、石田治部が城内の金蔵、武器庫などの極秘の場所を除いて隈なく案内した。いずこも自慢の絢爛豪華な所ばかりである。

治部は鼻高々のつもりであり、一方の内府も一々感嘆した様子で城内を回った。だが、大坂城の御書物奉行の説明だけは、上の空で聞いていたというのである。随行した豊臣の家臣の何人かは、内府が鼻毛を抜きながら「ふん」と嘲笑《あざわら》った、と治部に報告したから堪《たま》らない。負けず嫌いの治部は、その理由をとことん調べさせた。分かったのは、生来、無類の本好きの内府が、既に修築中の江戸城南側に新たに巨大な御書物蔵を作事中ということである。このため、浜松、岡崎から移送したものに加えて、新たに多数の珍本、稀覯《きこう》本集めが終わっており、膨大な蔵書が江戸城内の廊下にびっしりと蔵入りを待っている。それに較べれば大坂城の蔵書など取るに足りぬ物ばかりだと、側近に嘯《うそぶ》いているというのである。この報告を聞いた治部は、以後絶対に内府の手に入らないような本集めに狂奔した。手始めに、太閤が神社・仏閣に寄進するたびに、返礼に古今の珍書を求めた。

「だが、古い本だけでは面白くない。その一つが、そなたの書く信長公の記録じゃ。余のことを書いた、そなたの『大かうさまくんき』を治部が読んで、いたく気に入っての。信長公の十七回忌には、信長公の記録を本にして、ご冥福を祈るようすがになされませと、言って参った。この執筆は、太田和泉守を措《お》いて他にはない、是非に、と推奨してきたのだ。こればかりは、そなたの書き下ろし。内府の鼻を明かすことができるとな。それだけに……これ、あれを持って参れ」

太閤が指示すると、小姓が袱紗《ふくさ》の掛かっている平蒔絵《ひらまきえ》の三方《さんぼう》を持参し、中を開いて見せた。

「金大判二十枚。内十枚は信長公の記録執筆の手付け金。後の十枚は治部からの寄贈の金じゃ。何かと書き物には史料集めに金が掛かる故と申して、苦労人の治部が和泉守殿に是非とも使って貰いたいと言うので、ここに加えた。更に、著作完成の暁には、余から追加金十枚を用意する。それでどうじゃ。書いてはくれぬか」

（金三十枚！）

流石の牛一も太閤の豪気さに圧倒された。昔の分銅金とは訳が違う華麗な大判である。当時、豊臣子飼いの大名の大坂参上の際の土産品に対する太閤の返礼が、中大名で金十枚、大大名で金二十枚と相場が決まっていた。

「どうじゃ、まだこれで不足か」太閤は、にやりと笑った。不足の筈はないぞ、という顔である。

「とんでもございませぬ。過分すぎるほどの筆稿料、何と申し上げてよいやら分かりませぬ」

「ならば良いな」太閤は、念を押してきた。

牛一の頭は、この時、驚くほど目まぐるしく回転した。むざむざ金に屈するのは業腹《ごうはら》と思ったのである。しかし、近衛前久への揮毫依頼には、たとえ値切ったとしても、纏《まと》まった金が必要だった。

「この執筆について、三つほどお願いがございます」

意を決して、太閤の顔を真っすぐに見た。

「順に申してみよ」太閤は微笑を絶やさなかった。

「第一にこの著作、一旦、舟入学問所に納本いたしますれば、そのようなご事情でしたら、写本はなかなかに叶わぬことと存じますが」

気取《けど》られぬよう、太閤の顔色を窺った。

「当然そうなる。写本禁止の棚に並べるよう命じるつもりじゃ」

写本禁止本は別管理となり、出し入れに厳しい監視の目が光る。

「しかし、私めには写本をお許し願えますでしょうか」

「著者ゆえ、それはやむを得まい。一部だけ許す。ただ、門外不出と心得て所持せよ。次は何じゃ」

「ただ今仰せられた拙者の『大かうさまくんき』、実は、お叱りを受けたまま亡くなった大村由己《ゆうこ》が、かなりの部分を分担し、事実上、共著となっております。由己の勝手は、物書きの忙しさが高じたための一時の気の迷い。この本がお気に入って戴ける内容とあらば、この際、由己の罪も併せてお許し下さいませ。同僚の一人なれば、枉《ま》げてご承知を願わしゅうございます」

太閤の顔から微笑が消えた。

「そうか。あれから由己は死んだのか。知らなかった。許そう。確か、由己には息が一人いたはずじゃが」

太閤のこういう記憶力は、昔も今も抜群であった。

「はい、十三歳になります」

「その取り立ても、治部に頼むがよかろう」

「ありがたき幸せにございます」

「最後は何じゃ。順からいって難問じゃろうが、申してみよ」

「はい、このお屋形さまの記録。そのような立派な学問所に納められ、後世の方々にも読まれるとすれば、拙者、よほど腹を据えて書かねばと……」

「当然のことよ。そなた腹を据えて書かぬとでも申すのか？　聞き捨てならぬことをいう」

きつい言い方だが、太閤の顔に不快さはない。

「そうではありませぬ。これまでの著述については、いささか自信もございます。ただ、こたびの信長公の記録作りには、一つ難儀なことがございます」

ここまで来れば本音を話さなくてはならない。牛一は腹を決めた。

「ほう、申してみよ」

「それは、やつがれの手控えの始まりが、永禄十一年のお屋形さまの再度のご上洛からしかないことでございます。この年、奉行を命じられるまでは、やつがれは弓衆の一人として戦場を駆けるだけの、一介の武辺者でござったゆえ」

「そうであろう。戦いながらでは、手控えなど書けぬわ」

「かと申して、それ以前の尾張時代のことを書き加えねば、後世に記録としては半端なものと言われましょう。そこで、これまでも、やつがれは、元家中の古老を訪ね歩き、永禄十一年以前の国元での逸話の数々を集めて参りました。ところが、困ったことに……」

そこまで来て、牛一はそっと太閤を見上げた。目がいつの間にか閉じている。話に興味がないのか、そんなことはない。狸寝入りに違いない。（糞っ）牛一は構わず話し続けた。

「お屋形さまの生い立ちに始まり、よく言われるお父上のご葬儀の時の乱暴の数々。

元服の折りのご様子など、聞くほどに、調べるほどに古老の話が食い違い、お屋形さまの本当のお姿が見えなくなるのでございます。これは思いもよらぬことでございました」

牛一は大袈裟に肩を落としてみせた。半分は本音、半分は演技である。太閤の気を引き、昔話を引き出さねばならない。

「殊に、あの桶狭間山《おけはざまやま》の合戦となると……」

太閤の口の臭さを忘れ、牛一は思わず、にじり寄った。

今川義元を撃ち破った桶狭間山の合戦は、信長さまの前半生を飾る最高の史実である。ところが、信頼できる記録がどこにもない。史実が重大なだけに、記述には慎重でなければならないと思うと、牛一はなかなか筆が執れないのである。これさえ解決すれば、後は残る『信長前記』が一気呵成《いっきかせい》に書けるのだが……そんな藁《わら》にも縋《すが》りたい作者の心境が、ふと立場を忘れさせた。

「この合戦についての……」牛一はゆっくりと呼吸を整えた。

「……尾張の古老たちから集めた話は、全くもって四分五裂でございました。お屋形さまの出立の時刻一つとっても、夜半という者あれば、早朝という者あり、参加した兵数に至っては大は二千、小は二百人から二十人までござりました。どの話が真か、この和泉とんと分かり申しませぬ。そこで太閤殿下様にお願いしたいのは」

そこまで言うと、太閤の唇がぴくりと震えた。が、牛一はそれに気づかぬ振りで続けた。

「失礼ながら太閤殿下様が信長さまにお仕え始めたのは、確か永禄元年、あの桶狭間山の合戦の二年ほど前でございましたな」

覗き込むようにして確認を迫るが、太閤は目を瞑ったままである。牛一は切り込んだ。

「桶狭間山の合戦では既に百人の足軽大将におなり遊ばしていたと聞き及びまするが」

「そうじゃったかな」ここで薄っすら目を開けると、太閤は他人事のように嘯《うそぶ》いた。

「確かにそうでございました。それがしも、うろ覚えに覚えておりまするが、織田家中で、それは早い、あれよのご出世でござった。この点は、どの老人たちも異論はありませせなんだ」

「昔の話ゆえ、とんと覚えておらぬわ」

太閤は、はっきり不快気に顔を背けた。《謁見の間》なら、当然ここで侍臣から止めが入る。だが今日は、侍女の他は誰もいない。これ以上の機会は、またとない。

牛一は更ににじりよった。

「いや、太閤殿下様。ここが大事なところでございます。太閤殿下様、いや、当時の木下藤吉郎様は桶狭間山の合戦では、どの御大将の下に属されて、どのようなお働きをなされましたのか。その時の信長さまの清洲城のご発進はいつ頃で、兵数はいかほどであったか。それさえ分かれば合戦に臨む織田方の全貌と、行く手が朧《おぼろ》げながら浮かび上がろうというもの。それをお聞きしたいのが、三つ目のお願いでございます。かく言うそれがしは、あの時は残念ながら、清洲の留守部隊の弓衆に取り残され、ただただ……」

「ええい、止めよ！」

太閤の黒ずんだ顔が朱色に染まった。

「牛一」和泉守の呼称が突然、消えた。

「ははっ」牛一は、意識して過剰なほど畏《かしこ》まってみせた。

「そなたに信長公の記録を書いてくれという趣旨は、そんなところにはない」太閤は一方的に宣言した。

「記録の始まりは、そなたの手控えのある永禄十一年からとせよ。終わりは天正十年、本能寺で信長公がお亡くなりになるまでで良いのじゃ。よいか、それ以前も以後も書き加えること、この太閤が許さぬ。どこの誰とも分からぬ者たちの（又聞き話）や、根も葉も無い噂話など、余は見たくも聞きたくもない。よいか。余計なことは書くな。つまらぬ詮索は無用じゃ。ただ、有体《ありてい》に書け。十七回忌の法要を営む来年の水無月の三カ月前、弥生までに信長公の記録を完成するのじゃぞ。遅れは許さぬ。よいか、牛一」

「牛一の僭越《せんえつ》にござりました。しかとうけたまわりましてございます」

牛一は半間ほど飛びのくと、畳に額を擦《こす》りつけるようにして平伏した。平伏したというより、平伏して見せた、が本音である。

金二十枚を懐にした牛一は、帰路の心中で呟いていた。

（この俺を、幾ら金縛りに掛けようとしても、そうはさせぬ。この『信長記』必ずお屋形さまの全生涯の記録としてみせるぞ）

3

太閤の元を辞した牛一は、用意された大坂への船便を断り、密かに足を京へ向けた。太閤との会見の間、終始、念頭を離れなかったのは、あの男の命、あと一年も保《も》つかの確認であった。目的は、ほぼ達した。太閤のくすんだどす黒い顔と、浅く速い呼吸から、短い余命は十分に推し量ることができた。

だが、会見で妙に引っ掛かったのは、桶狭間山の、当時の木下藤吉郎の従軍の模様について証言を得ようとした時の、太閤の異常な怒りであった。どう考えても、あれほどの怒りを買うのは不自然である。何かがある。なければならぬ。

(それにしても太閤め、金でこの俺の筆に箍《たが》を掛けよったが、そうはさせぬ)

金の箍と、信長さまの全生涯の記録を残したいという自分の野望との狭間で苦しむつもりはなかった。懐の二十枚の金の重みを手で確かめながら、この時、既に牛一は、金も自分の野望も両摑みするという、ある不敵な思案を思いついていた。

(しかし、急がねばならぬ。あの男が往《い》んでからでは、俺の記録草紙にこんな大金を弾む約束があったなど、誰も信ぜぬわ)

現金なもので、心なし足が速くなった。

京に入った牛一が目指したのは、万里小路《までのこうじ》二条《にじよう》。一帯は八年前に太閤の肝煎《きもい》りで造られた御免遊郭である。昨年の地震の被害も何のその、復興は京で一番の早さであった。周囲三町四方は唐・宋の『柳巷』に準《なぞら》えて柳の並木で囲まれ、北側中央に城門のような厳《いか》めしい瓦葺きの大門がある。大門を一歩、中に入ると、南北に真っすぐに走る仲通りの両側に細い格子戸の茶屋が続いている。日暮にはまだ遠く、遊客の姿はない。目につくのは、一見して田舎の冷やかし客と分かる集団ばかりで、彼らはそちこちと格子の前に足を止め、呆《ほう》けたように口を開いては笑い興じていた。

そんな一行を眺めながら半町ほど進むと、牛一は尾張屋という看板の茶屋の前に立った。三十軒ほどある揚屋《あげや》の多くは太閤に取り入って店を開いた尾張者が多い。中でも尾張屋は尾張の名を独占するだけに、佐渡島屋と一、二を争う大店であった。

中年の男衆の一人が慌てて店から飛び出すと、そっと目配せした。頷いた牛一は黙って従う。通されたのは二階の端の奥座敷である。既に店の主人・尾張屋清八と、もう一人の客が控えていた。

「お待ち申し上げておりました」

二人は揃って丁重に挨拶した。清八は六十をやや出た感じの、でっぷりした丸顔である。流行の墨の描き絵の〝辻が花染め〟の小袖を着込み、いかにも揚屋の主人といった風情だが、元はと言えば牛一と同じ寺で修行した坊主上がりである。

もう一人の男は、筆屋源兵衛。清八より一回りほど若く、平織の黒の筒袖に角帯をきりりと締めた律義な商人姿で、こちらは細身の長身である。清八と並ぶと座高がひときわ高い。皆に（身体まで筆屋だ）と、からかわれていた。清洲で祖父の代から筆墨から紙一切を商っていたが、信長に岐阜へ去られた後の清洲は、つきが落ちたように寂れてしまった。現在の城主・福島正則は、文筆を軽んじる剛勇だけの人物。そんな男の城下の商いでは身すぎに足りなかった。やむなく筆を使っての代書、写本などに精を出している。その縁で地元の武士、名主、町人たちの家への出入りが多く、昔の織田家に関する隠れた記録を捜し出しては買ったり、借り出して写し取っては、密かに好事家に売りつけて商いの足しにしていた。牛一にとっては貴重な史料屋の一人である。牛一の上京に合わせるように清洲から出て来た。耳よりな史料があるという。

「堅苦しい挨拶はこのくらいにして、とくと史料拝見仕りたい」

牛一は早速、仕事に掛かる気だった。急がねばならない。金と全生涯の記録作者の二つを満足させるためには、太閤の死ぬ前に、遅くとも『信長前記』までは書き終わらなくてはならない。気が急いた。これを清八が制した。

「ま、そうお急ぎにならずとも、まずはご一献」

下女を呼んで酒肴を命じ、正座のまま口調を改めた。

「その前にお伺いしたく存じますが、よろしゅうございましょうか」

「改まって聞くからには、太閤殿下の病のことだな」

太閤との接見の後、ここに来ることを、清八には告げてある。

「ご明察にございます。して、どのようなご様子で？」

上半身を乗り出し、声を落として聞いた。

「気になるか」

「それはもう……」

手を広げて、おどけた素振りを見せたが目は真剣である。

「殿下が亡くなれば、この遊郭も危ない。そうであろう、そなたの心配の種は」

牛一は、さりげなく核心に触れた。

「ご明察。淀殿は日頃から、この遊郭を毛嫌いされ、我ら女郎の雇い主を鬼畜のように罵《ののし》られている由《よし》。太閤様ご逝去ともなれば廃業どころか、手前どもまで、ばっさりと」と、清八は首を叩いた。

「それは面白い。生真面目な治部のことだ。淀殿の命令とあれば殿下の喪中にでもここへ乗り込んできて、そなた等を打ち首にせぬとも限らぬしな」

「縁起でもない。太田様にまでそのようなことを言われては立つ瀬がありませぬ。それを防ぐには、どのような手を回したらよいか、同業衆と、とくと思案中でございます。それには、あとどのくらいの余裕があるのか、それが知りとうございます」

「あと一年かな」別に隠す必要もなかった。

「一年！　それほど早く」

「そうよ。せいぜい延びて、一年半。拙者も急がねばならぬのよ」

牛一は既に金子三十枚と引き換えに信長さまの記録草紙を太閤に売り渡す気になっていた。既に先月に草稿は完成しているから、期限についても問題はない。

（しかし、これは途中で、たとえ伯耆守が来て進捗状況を問われても、あくまで執筆中と偽らねばならぬ。その間に、書きたい『信長前記』も書き終わる。できあがったら、折りをみて『信長前記』を、太閤公認となった『信長記』の前に黙って差し込んでしまうのだ。納本すれば治部のことだ、早速にも『信長記』を読むだろう。その後、太閤が病に伏せって危篤に陥った時を見計らって写本に行く。この時なら、『信長前記』の差し込みも可能なはずだ）

これが牛一の考えついた陰謀だった。写本の時期を太閤の危篤の混乱の中とすれば、誰にも咎《とが》められないだろう。写本禁止の図書は持ち出しが厳しいが、誰もそれに追加するなどという途方もないことを考える者はいない。これによって織田信長という不世出の英傑の全生涯の公式記録作者として、間違いなく自分の名は末代まで残る。金と野望が（両手に花）と手に入る。この思惑の実行には自分が密かに書きたい『信長前記』の完成が時期的に掛け離れては難しい。それでは差し込む機会が見つからなくなるかも知れない。

二人のやり取りに無言で聞き入っていた源兵衛が、目礼して手元の平包みを解いた。中から筆の束が現れた。その中の数本を牛一に示しながら、源兵衛は愛想笑いした。

「毎度のことながら、手土産代わりに、私共の作る小筆を持参致しました。どうか、お納めを」

「おう、例の紫毫《しごう》（兎毛）の小筆でしたな。今も重宝させてもらっておりますぞ」

牛一はにっこり笑い、目礼した。尾張時代は筆に無縁の日々で、牛一は源兵衛の存在すら知らなかった。岐阜に移って筆を持つようになってからは、長い間、高価な京の小筆を買い求めていた。今は源兵衛から提供される安価な筆に全て切り替えている。

「有り難いことで。ところで今も和泉守様は紫毫《しごう》以外はお使いになりませぬのでしょうか。今日は狐の産毛《うぶげ》筆など、珍しいものも持参いたしましたが」

「いや、狐、狸の類の筆は使わぬ。それでなくとも、筆は勝手に走って嘘を書きますからな。狐狸《こり》の毛では、なおさらじゃ」

笑いに紛らせたが、半ばは本心でもある。

「で、急がせるようだが、本題の史料じゃ。今度は、どのようなものが手に入ったのかな」

「三点ほどございますが、まずは、これをご覧くださいませ」

最初に出したのは、信長の家系図の写しである。

「三つ目の系図でございます。念のためと思って持参しました」

源兵衛はここで、にやりと笑った。牛一に（また偽物を摑まされたな）と言われる前に予防線を張ったのである。最近、牛一が記録草紙を書くに当たって、こうした古文書を漁っていることが密かに知れわたり、悪質な偽物が横行するようになっていた。

「今度のお屋形さまは、いずれの出自じゃ」

信長さまは自分の出自について、尾張時代は藤原氏を自称したが、京に上ってからは平姓《たいら》を称した。もちろん源氏を出自とする足利氏の将軍にとって代わるための作り話である。牛一はそのどちらも信じていないが、こういう嘘をぬけぬけとついて平然としているところに牛一は（そんなことはどうでもいい）という信長の伝統破壊者としての強い意思を感じていた。

「出自が平氏か藤原氏かは、触れておりませぬが……」

牛一の心を推し量るようにさらりと切り出した。

「信長さまの家系での立場が、これまでと些《いささ》か……」

「ほう、違う、どこが？」思わず、うんざりした口調になった。これまでも複雑な家系図をいやというほど見せつけられている。

「この系図によれば、信長さまは正出《せいしゅつ》ではないとされております」

「何？　妾腹《しょうふく》だと？」

「はい、正室の土田御前様のお子は信行、喜六郎様のお二人。信広様と信長さまは別腹のお子。従ってご嫡統《ちゃくとう》は信行様とあります」

「馬鹿ばかしい」牛一は言下《げんか》に吐き捨てた。

「お屋形さまは間違いなく土田御前の御嫡統よ。妾腹の子などで堪《たま》るか。どこのどいつだ。そんな系図を捏造《ねつぞう》した奴は」

思わず声を荒らげた。だが、言いながら、ちくりと胸に痛むものがあったのも事実である。

五月中旬に『信長記』を脱稿し、『信長前記』に取り掛かってから一カ月あまり。清洲から集めた雑史料は矛盾だらけで、執筆は遅々として進んでいない。清洲の織田家菩提寺・万松寺の織田家過去帳は、すべて引き千切られており、信長さま、信行共に生年月日の記録が抜け落ちているのは事実であった。

数日前にも頭を抱えた。史料の中に池田恒興《つねおき》の母の言い伝えがあった。恒興は信長さまと乳兄弟《ちきょうだい》といわれ、その母は恒興と信長さまの二人に一緒に乳を与えたというのが地元では定説になっている。

しかし、そうなると誕生年のはっきりする恒興の生まれた年（天文五年）には、信長さまは既に三歳。乳を吸わせる時期はとうに過ぎていたことになる。乳兄弟説が正しいなら、信長さまはもっと若い。つまり信長さまと信行は兄弟が逆転する可能性があることは漠然と感じていた。

しかし、牛一はこの時には既に、自分の描く人物に必要以上の敬愛と愛情を注いでしまうという、伝記作者の陥り易い穴に嵌《はま》っていた。この穴から見る限り、信長さまは手の届かない巨像になる。いや、ならねばならない。そのためには、源平にも藤原氏にも属さないまでも、筋目とご嫡統の地位までは傷つけたくなかった。これを汚すような史料は、認めることはできない。

「では、買い上げるのを止めることとしましょう。お気に入らない史料は、これまでも幾つも捨てて参りました」

系図の出所については触れず、源兵衛は乾いた声で答えた。

「まあ、待て」牛一は思い直し、手で制した。

「写しは要らぬという意味で言ったまでじゃ。元図のほうを、言い値で買え。金のことは心配するな」

(残しては後々の混乱の種。ためにならぬ)太閤の金三十枚が、牛一の気を大きくさせた。

「他には？」

「清洲の清秀寺の住職沢彦《たくげん》の日誌。もちろん、密かに写し取ったものにございますが」

清秀寺には、信長さまの傅役《おもりやく》だった平手《ひらて》政秀《まさひで》の墓がある。政秀は信長さまの素行が収まらず、あまりにも勝手気儘《きまま》な振る舞いをすることを苦にして諫死《かんし》したと伝えられる人物である。だが、これも奇妙な話だった。政秀の自刃した天文二十二年には、信長さまは既に二十歳である。この年齢になって、今さら素行が悪いもなにも

ないではないか。女狂いなら父親のほうがよっぽどひどかった。まして腹を切ると
は面妖《めんよう》である。日誌に何か手探りの種があるかも知れない。
「面白い。いつ頃のものじゃ」
「天文二十二年の開山から弘治元年までの、三年分。といっても沢彦は不精者にて
抜けの日が多うございますが」
「それでもよいから、買え」何かの役には立とうと思った。
「他には？」
「簗田《やなだ》政綱《まさつな》の日誌。但し、沓掛《くっかけ》城主当時のものでございます」
「ほう、簗田政綱か！」
忘れかけていた名だった。
簗田政綱は、桶狭間山の合戦で今川義元の所在を最初に発見し、報告したと伝え
られる男である。戦後、その論功だけでいきなり沓掛城主に抜擢され、三千貫の領
地を与えられた。義元の首を取った服部小平太、毛利新介の二人への褒賞が僅か数
枚の金子だったのに較べ、あまりにも破格だった。家中は皆、驚き呆れ、信長さま
の（気紛れ）と陰で罵った。牛一だけが、この通報を殊勲の第一とした信長さまを

「さすが見所の違う御主君」と擁護した。が、多勢に無勢。却って非難を一身に受ける結果となった。

そんな僥倖《ぎょうこう》に恵まれた政綱だが、その後の生涯は、ぱっとしなかった。天正三年、加賀天神山城主当時、一向一揆の攻撃を受け、無様《ぶざま》な敗北を喫してからは信長さまに疎まれ、間もなく安土に蟄居《ちっきょ》する身となった。その後、人知れず没したという。牛一も最近まで政綱の死を知らなかった。

牛一は日誌を手に取って、ぱらぱらと捲《めく》った。だが政綱の城主としての公式行事の記録だけで、取り立てて興味を引くものはない。

「つまらぬな。出世した後の政綱の表の顔しか見えぬ。何か己《おのれ》だけの回顧録のようなものは残っていないのか」

「それが、残念ながら、どうやら政綱様は筆不精だったようで」

「そうだろう。その頃は、まだ俺と同じ一介の武辺者じゃ」

牛一は岐阜時代に二、三度、政綱と酒を酌み交わしたことがある。無口だが、酒を飲むと人が変わったように陽気になった。それがなぜか出世の糸口となった桶狭間山の合戦の話になると、口を貝のように閉ざした。その時も、牛一は「わぬし一体どうやって義元の居場所を知ったのじゃ」と問い詰めたが、政綱は漠とした目で牛一を見つめたまま、遂に口を開かなかった。後で自分が信長さまの記録を書く身になると思えば、とことん、あの時に問い詰めておくべきだった、と牛一は今も後悔している。

「となると、この合戦については、そなたが集めてくれた服部（小平太）、毛利（新介）等小者のつまらぬ史料しかないことになるな」

服部、毛利は簗田以上に文筆に弱く、老年になってから、その口から伝え聞いたと称する口伝が家族の元に残るのみであった。その写しは既に買い上げてある。

「はい。しかし、全て記録として未熟だ、半端ものじゃ、と殿は前々から仰せられました」

「そうだ。どれもこれも、自分の自慢話しか伝えていない。合戦前後の天候や彼我《ひが》の距離、戦力比較など、拙者が知りたいことを書き留めたものは何一つないわ。中には、ほれ、あの夕庵《せきあん》の熱田社願文《がんもん》のような、とんでもない偽作まででてくる」

「それは、もはや申されますな」

源兵衛は顔を赤らめた。半年ほど前、源兵衛が鬼の首を取ったように持参した史料の一つに、天正期の筆頭右筆だった武井夕庵が桶狭間山の合戦に臨んで熱田神宮に奉納したという戦勝の願文があった。確かに夕庵らしい美文だったが、この合戦当時、まだ夕庵は美濃斎藤家の家臣であり、信長の元にはいない。明らかな贋作《がんさく》である。それも源兵衛を通じて牛一に売り付けるために画策された、と思われる悪質なものだった。

「まあ良い。そなたを責めているのではない」

(困っているだけだ)と言いかけて牛一は口を噤《つぐ》んだ。源兵衛にこれ以上の弱みは見せたくなかった。見せれば、これからもつまらぬ史料まで吹っ掛けられる恐れがあるからだが、本心では桶狭間山の合戦については極度の史料不足に悲鳴を上げていたのである。

一体、今川の大軍を前にした清洲城の中の動きはどうだったのだろう。信長さまが少人数を従えて密かに清洲を出たというが、その時刻はいつだったか。その途中で熱田神宮に集合し、後続隊を待ったという話もあるが、そんな人目につく場所で大っぴらな行動に出れば、今川の細作《さいさく》に発見されずに済むはずがない。今日の太閤との会見でも、しつこく訊ねたように、そんな信長さまの行動の、初歩的な疑問すら解明されていないのである。更に言えば、この時、幸運にも雷雨が襲い、信長さまは、豪雨を突いて鷲津から桶狭間山まで直線距離にして半里以上を真っしぐらに突き進んだという。

だが、どうして義元の居場所が、桶狭間山と分かったのか。はたまた、山の麓を取り巻いていた筈の今川軍五千の本陣の間を、全く抵抗も受けずにどのようにして辿り着けたのだろうか。

最大の疑問は、なぜ桶狭間山のような東海道外れの鄙《ひな》びた小山に、今川義元が本陣を敷いたのか、であった。

(やはり、疑問の鍵は政綱にあったな。なぜ、あの男が義元の居場所を知っていたのか。その秘密を、どうして我々に語らなかったか)

「今となっては、どうしようもないが……」

牛一は回想のままに、ぽつりと呟いた。

「はあ？　何と仰せられましたか」

源兵衛が首を傾げた。

「いや、こちらの話じゃ。政綱の日誌で、昔話を思い出していただけじゃ。で、今日はこれだけか？」

「清洲の関係は、これだけでございます」

「というと、清洲以外に何かあるのか」

「はい。最近とくと考えたのでございますが、どうも尾張の老人や残った係累どもは、自分の家の名誉や利害ばかりが先に立つようで、出てくる史料も家の都合が第一。些《いささ》かでも都合の悪いものは、出して参りませぬ。いっそこの際、史料発掘の視点を変えてみては、と」

牛一を窺うような目つきで覗き込んだ。

「ふむ、例えば何処《いずこ》へじゃ」

「京の公家様、あるいは、その出入りの商人などの関係者は如何でしょう。商売柄、日記、記録の類はお手の物。今川義元の上洛を一日千秋の思いで待っていたのですから、公家様などは当然、途上での戦いぶりについては事細かに書き留めたはずでございます。中には、途中で密かに右筆まで送り込んで逐一報告を受けていたのではないかと考えられます。思わぬ敗戦になったとはいえ、桶狭間山の変のことは、京の誰方《どなた》かの家の蔵には史料として眠っているのではないかと」

「なるほど、公家とは良いところに目をつけたな。何か解明の道があるやも知れぬな」

「他に岐阜や美濃などにも、まだ意外な史料が眠っているやも知れませぬ。ただ、尾張以外からとなると、遠出もせねばなりませぬ。殊に貧乏公家などは勿体ぶるので少々金が掛かります」

源兵衛の目つきが卑しく光った。だからといって、ここまで来て引くわけにはいかない。

「良かろう。本当に役に立つものなら、金に糸目はつけぬ」

太閤から貰う金で気が大きくなったこともあるが、このままでは尾張時代の信長さまについて筆を進める自信がなかった。気は急くが、心は萎えるばかり。考えるほどにくさくさした。

「今日のところは、ここまでじゃな。史料はもうよい。気分を変えて飲むとしようか」

清八を振り返ると、牛一は用意された杯を自分から取った。

「ほう、これは太田様、お珍しい。女どもをお呼びしましょう」

清八は、そそくさと立って手を叩いた。日頃はここへ来ても、老齢を理由に女を避ける牛一だが、今日は断る気にならなかった。太閤との面談で、気が高ぶっているせいかも知れない。源兵衛を振り向くと「そなたも行ける口であろう」と、徳利を取った。

「今日はお呼び立てしながら、お役に立たぬものばかりで。次回は、清洲以外から必ずお役に立つものを」

源兵衛は杯を差し出しながら恐縮げに答えた。

「それは、かたじけない。だが、史料の良し悪しは気にするな。どうせ、生き残った者の自慢話か、せいぜいが自己弁護よ。最初から百に一つも役に立てば良しと割り切らねばならぬ。だからといって、つまらぬものでも見捨てるわけにもいかぬ。それが史料よ。それ故、たとえ竹頭木屑《ちくとうぼくせつ》でも見逃してはならぬ。よいか、以後も頼む。焦ってはならぬ、焦ってはならぬ」

最後は自分に言い聞かせるように呟く。この夜の牛一は、したたかに酒を呷《あお》った。その勢いで珍しく若い女を求めた。

清八に勧められた相方は腰の細い、華奢《きやしゃ》な越《こし》の国の女であった。肌が夜目にも抜けるように白い。臥床《ふしど》に招き入れ、無造作に衣類を剝ぎ取ると、女は脅えたように両手を強張《こわば》らせて顔を覆った。そのため、却って両の乳房が無防備になった。夕顔のように高く突き立った白い胸と、幼い乳頭の初々《ういうい》しさが、男をそそった。

牛一はそっと小さな女の乳頭を口に含み、しばらく酸漿《ほおずき》のように弄《もてあそ》んでみた。やがて女の抵抗が止み、後は微かな吐息へ変わった。やおら身を翻すと、牛一は若者のように荒々しく両の手で女の細い腰を抱き込み、激しく押し入った。一瞬、快感が突き抜ける。思わず、頻闇《しきやみ》の中に太閤の姿を求めて叫んだ。

「そなたには、もはや、かように女を愛でる力は残っていまい。のう太閤、のう秀吉」

幻の太閤は呆気なく消えた。なぜか笑いが込み上げてきた。笑うたびに、胸の下の女の乳房が小さく左右に揺れ、牛一の鼻先に甘酸っぱい香りを振り撒《ま》いた。

4

四月ほど経ったある夜半、牛一は隠居所の引戸を叩く微かな音を聞いた。

「源兵衛にございます」という低い声に、執筆中の筆を擱《お》き、引戸を繰《く》った。朧《おぼ》ろな月明かりに長短二つの人影が浮かんでいた。

「こちらさまのご事情で夜分、是非に、と……」

長身の源兵衛が、身を屈めるようにして後ろを顧みた。黒い目計頭巾《めばかりずきん》に顔を深く隠した女が控えていた。

やがて女は、頭巾をとり、そっと、静かに一礼する。と、背中から黄色い銀杏の葉がこぼれた。

「ほう、もはや、そんな季節か」牛一は、二人を見ながら呟いた。

隠居所の所在は、あまり知らせないようにしてきた牛一だが、それでも人を介して、密かに訪ねてくる弱小大名の在坂諸役に悩まされ続けた。

五大老、五奉行と違って、彼らは伏見城内の事情に疎い。太閤に近いと思われているのか、牛一から太閤の病気の具合をしきりに聞こうとした。太閤を敬愛するからではない。太閤死後の混乱をいち早く知り、保身の道を探るためである。そんな応対の煩わしさを避けるため、近頃の牛一は、早々に雨戸を閉め、居留守を装って書机に向かっている。季節の移り変わりに疎かった。

書院に招じ入れた女は、三十路にはまだ遠いと見えた。小造りだが、色白の、目鼻立ちの通った弱女《たおやめ》である。木綿の小袖に、六つ割帯まで、全て黒一色。それが色白の肌を一層、引き立たせて見えた。

「名を名乗ることは叶いませぬが」

源兵衛は女をちらっと見据え、来た時の堅い表情のまま、続けた。

「二年前に亡くなられた前野《まえの》長康《ながやす》様のご縁に連なるお方とだけお含みおきくださいませ」

「何、前野の！」ご内室かと言いかけて、牛一は口を噤《つぐ》んだ。

前野将右衛門長康。早くから秀吉に仕え、蜂須賀小六と共に、専ら秀吉の《影の軍団》の将として活躍した。

しかし、秀吉の天下平定と共に役割は終わった。後に関白秀次の側近を命じられたのが不運で、二年前の文禄四年の秀次失脚事件に連座。秀次と仲の良かったその子・景定は切腹を命じられ、父長康も追腹して、前野家は断絶した。長康のご内室なら、夫の切腹の後を追ったと噂されていた。それに、目前にいる女は若すぎた。

「さようにございます」源兵衛は微《かす》かに瞬きしてみせた。それ以上の詮索はしないでくれ、という合図である。

「そこで、和泉守様」源兵衛は手にした木綿の平包みを開いた。中から由緒ありげな漆塗りの四角い手文庫が出てきた。

「鍵を」と、源兵衛に言われ、女は黒い帯の間の小さな紙入れから、和紙に丁寧に包んだ金属の小さな鍵を取り出して手渡した。無言で受け取ると、源兵衛は手慣れた様子で鍵を差し込み、やがてカチッという、やや高い金属音と共に、箱の蓋が開いた。

「ご覧くださいませ」

源兵衛に促され、牛一は箱の中の分厚い油紙の袋を見た。源兵衛は、中から紙縒《こより》で綴じた雁皮紙《がんぴし》の厚い束を引き出すと、一番上の束の表書きを牛一に示した。

かのえさるにちろく
「かのえさる？」

「例の永禄三年にございます」

源兵衛は、意味ありげに、わざとゆっくりした口調で答えた。他ならぬ桶狭間山の合戦のあった年である。

「これは、この年、前野小右衛門（当時）が密かに書き残した日録にございます。その部分だけを、小右衛門が、なぜかこちら様にお預けなされたもので」

「それで？」牛一は、それが本物かどうかを質す前に、一瞬（それがどうした）と思った。

牛一の知る限り、当時の小右衛門は、野伏《のぶ》せり、夜盗の類に過ぎない。牛一の桶狭間山の合戦の史料元としては、頭から埒外《らちがい》の人物と信じていたのである。

「ところが……この中に、これ、このような」

源兵衛が、紙束をぱらぱらと捲《めく》ると、如月《きさらぎ》（二月）のところの数枚を示した。

とうきちろうさまよりしかんのこと
にんずう　百二十人　三十人　四くみ
ところ　もろわ　ぼうじもと　ゆうふくじ　おけはざま
くみ　ひゃくしょう　まんさい　くぐつ　でんがくし

「とうきちろうさま、しかんだと……」

読み終えた牛一は首を傾げた。

「とうきちろうは、今の太閤だろうが、しかんとは、まさか仕官の意味ではあるまい」

「私めもその意味ではないと存じます。小右衛門殿は、蜂須賀様と共に、当時の木下藤吉郎様にお仕えこそすれ、信長公にはむしろ疎まれておりました故」

源兵衛は低い声のまま、にこりともしない。

「そう、むしろ仇敵よ、お屋形さまの」

小六と小右衛門は、元々は織田の本家・岩倉織田の配下である。支流の信長さまとは長きに亙《わた》って敵対関係にあった。それもあって、信長さまは最後まで二人の仕官を許さず、彼らは木下藤吉郎の又者《またもの》として扱われていた。

「ということは、まさか孫子《そんし》の……」

牛一は思い当たってはっとした。

「ご明察、そのまさかの坂のほうでございましょう」

源兵衛は初めて頬笑んだ。

間者の用いる忍びの手段には五種類がある。孫子はこれを《五門の法》として、その四番目にこのしかん＝死間を挙げる。

「計略のために敵国に入り、その計略を誤らせて、自分も敵地で死ぬことを覚悟の上のものをいう」とある。

「しかし、そうかな。ここに挙げられている場所は敵地ではないぞ」

牛一はむきになって言ったが、それが反論にならないことは重々、承知していた。

「もちろんでございます。しかし当時、織田家は尾張の東端を今川方に侵蝕されておりました。ご覧くださいませ」

源兵衛は、尾張東部の古い地図を開き、当時は今川の手中にあった鳴海、大高、沓掛の城を示した。もろわ、ぼうじもと、ゆうふくじ、おけはざまは、その一帯に点在する小さな村である。織田領ではあるが、織田の支配力が弱く、今川方に勝手に出入りを許していた。

「そこに小右衛門は、藤吉郎様に命じられて自分の配下を百姓、万歳、傀儡師《くぐつ》、田楽師などに変身させて配置したに違いありませぬ」

「何のために？」

「今川義元の上洛に備えての謀《はかりごと》でございます」

自信たっぷりに言われ、牛一は不愉快になった。

「謀だと？　あの桶狭間山の戦いの裏に、藤吉郎の謀があったと申すのか」

思わず自分の顔が歪《ゆが》むのが分かった。

「はい、今川軍を迎えて、まず農夫に身を窶《やつ》した小右衛門の配下が、戦勝祝いに参上し、酒盛りの酒と酒肴を持参する。続いて尾張万歳、傀儡師、田楽師に変身した者たちが座を取り持つ。次第に相手を油断させて、そこへ、かねてお約束の信長さまが……」

「かねてお約束の信長さまとは何じゃ？」牛一の顔に血が上った。

「しかし、ご覧下《くだ》され。次を捲ると、その時、彼らが今川方に持参した供物の一覧がございます。これでも信じられませぬか」

牛一は、わなわなと震える手で目録を捲った。勝栗、昆布、米餅《せんべい》、粟餅、芋の煮付け、大根の煮染《にし》めといった祝い用の酒肴の名前が並んでいた。

「嘘だ、これは偽作だ」思わず日録を放り出した。

「あの桶狭間山の合戦に限って、お屋形さまが謀略などに加担なさったはずはない。あれは清洲から直進、あるいは迂回して、豪雨を衝《つ》いての奇襲じゃ。天運の勝利じゃ。源兵衛、そうは思わぬのか」

源兵衛は首を横に振り、再び尾張東部の地図を取り出して示した。

「また、何じゃ」

「ご覧くださいませ。ここが問題の桶狭間山。世間では桶狭間とだけ申しますが、敵陣が如何に遠く、水の便があったにせよ、武将が狭間で昼食を取らぬは戦陣の常識。殿も現地をご覧のとおり、ここは小山でございます。では、何故《なにゆえ》、敵から目立つ小山に義元が陣を張ったか。それは、目立つべきなんらかの理由があったからでございましょう。が、それはともかくとして、こちらが、その前夜に今川義元様が泊まられた沓掛《くつかけ》にございます」

筆先で沓掛を指し、口元に笑みまで浮かべて自信満々に言った。

牛一は内心たじたじとなった。が、それを押し殺すように強い口調で、

「それで、そなた何が言いたい」と反撃した。

「義元様が沓掛から西に向かう一番の近道は、鳴海に向かう鎌倉往還《おうかん》でございま

す」

源兵衛は、筆先でそっと街道をなぞった。牛一は黙って筆先を視線で追う外《ほか》なかった。

「前途にある織田の善照寺砦、中島城は、岡部五郎元信率いる鳴海城の手の者によって、この日の早朝、既に鎮圧され、その報告も参っておりますれば、義元本隊の進軍に何ら不安はありませぬ。それに、岡部元信は義元様の最も信頼厚い武将。まず最初に、本隊を安全確実な鳴海城にお入れになるのが、作戦の常道ではございませぬか。それを、暑い日中に、わざわざ回り道して東海道に出られ、更にそこを横切って数町も外れにある桶狭間山まで出向かれた。それは何故でございましょう」

「木陰で休息を摂《と》って、大高城を目指したのであろう」

辛うじて答えたが、声が嗄《かす》れてしまった。

「そうでしょうか。確かに大高城は丸根砦攻めをなされた松平元康、今の徳川家康様によって、早朝には平定されております。しかし、義元さまの腹心の部下である岡部様の鳴海を差し置いて、何故、人質に過ぎない家康の居る大高へ進まれたのでございましょうや？　元康は信長公とは幼なじみ。織田方に寝返る危険は十分過ぎるほどある人物でございます。解せませぬな、その選択は」

「というそなたは、義元に桶狭間山に行く格別な事情があったと申すのか」

「さようで。そうでなければ、安全な鳴海に直行するのが筋でございます」

「ではなぜ大高城に行ったのか」

「分かりませぬ。が、あるいは鳴海から遠いほうが良い、というのは岡部様にも知られたくないような、何か特別な事情があったのではないか、と推測いたします。今川様ほどの名将なら、《大軍に詭道《きどう》は無用》の鉄則は、とくとご存じのはず。何も事情がなく、鎌倉往還が狭くて本隊の進軍に不向きと考えたなら、せめて整備の行き届いた東海道経由で、一路堂々と清洲を目指さねばなりませぬ。まして、信長本陣との決戦を前に、東海道外れの桶狭間山などのような目立つ場所に登り、怪しげな地元の村長や農夫等の酒肴の摂待を受けるなどもっての外。名将にあり得ぬことでございましょう」

「義元がお屋形さまを侮ったのじゃ。それ以外に考えられるか」

「それにしても、雷雨の中を山頂から急遽麓に移動中の義元の所在を、信長さまが知るのがあまりにも早すぎませぬか。義元の五千の本隊のごった返す小山周辺の囲みを迂回して、疑いもなく義元の元に現れたのでは、偶然過ぎませぬか」

「偶然ではない。地元生まれの簗田政綱が所在を突き止めてお屋形さまに……」

「その政綱様は、どのようにして突き止められたので」

「そこまでは知らぬ」

「それは、政綱様が、かねてから今川との間のなんらかの連絡係だったからではありませぬか……」

「連絡係？　馬鹿馬鹿しい、そんなことがあってたまるか！」

牛一は、はっとした。それゆえ桶狭間山の合戦後の政綱への褒美が過大だったのか。では、あれは口止め料か？　思いもかけぬ疑惑が浮かんだからである。

「やめよ、勝手な想像は」

牛一は、自分が密かに持っていた桶狭間山の合戦への漠とした疑惑を、先に暴き立てられた忌々《いまいま》しさに、思わず声を荒らげた。しかし、源兵衛は冷ややかに牛一を見守るだけであった。

しばらく気拙《きまず》い沈黙が続き、牛一は、思い直さざるを得なかった。

「今夜の史料は全て置いてゆけ。持参したもの全て買い上げてよい。値《あたい》も言い値《ね》でよい。そなたに任せる」

吐き捨てて、ぷいと横を向いた。

「心得ましてございます」源兵衛は、にこりともせずに続けた。

「お許しを得ましたので今日持参のもの全て置いて参ります。これなる女子《おなご》も含めて」

「何、そこな女子もじゃと」

(何を馬鹿なことを言う)という牛一の目を抑え、源兵衛は静かに応えた。

「はい、今もって前野長康様の縁者の一部は太閤様から厳しく追われる身。人一人、助けると思し召《おぼしめ》して、どうか、ここに置いてやって下さいませ。水仕女《みずしめ》代わりでも宜《よろ》しいのでございます。当人も、小右衛門の日録を手土産に、今夜はその覚悟で参っております。ゆっくり話を聞けば、案外な生きた史料になるやも知れませぬ」

打って変わったように、意味ありげに微笑する源兵衛の傍《かたわら》で、女は肩をすぼめて平伏していた。牛一は、一瞬、息を呑み、女の白い透き通るような項《うなじ》の震えを、呆然と見つめた。

「生きた史料……か」

思いがけない言葉に、虚を衝《つ》かれた。断るには目の前の女はあまりにもまぶしく見えた。

5

源兵衛を送り出すと、牛一は書斎の片隅にぽつんと独り残ったままの女を避け、無言で書机に戻った。老境にある一介の物書きにとって、若い女は四月ほど前の京都のように、時に羽目を外す程度の玩弄物《がんろうぶつ》でこそあれ、常時側《そば》に置く必要はなかった。むしろ気が散るだけ煩わしい存在だ。

（源兵衛め、とんだ置き土産を）

牛一は密かに舌打ちした。日々の食事の支度や洗濯なら、通いでやってくる下女で足りた。ただ一点（生きた史料）という言葉が、一時女を匿《かくま》う気持ちにさせたのである。しかし、そのままでは何とも落ち着かなかった。一人しょんぼりしている女も哀れである。

「面《おもて》を上げよ。まだ、そなたの名を知らぬ」

しばらくして、牛一は仕方なく声を掛けた。女は初めて、ほっとしたように顔を上げた。ほつれ毛を直す白い手が、行灯の火に怪しく揺れていた。

「名は何という」

「ございませぬ」

意外に凛《りん》とした言葉が返ってきた。

「ない？　名がないと申すのか。はて、面妖なことよ」

思わず苦笑いした。呼び名は変わることはあっても、捨て子でもなければ、名の一つぐらいは持つはずである。こ奴め、俺をからかっているのかと、改めて女の顔をまじまじと覗き込んだ。ところが女は真っすぐに牛一を見上げ、悪びれた様子もない。

「しかし、子の頃の名ぐらいはあろう」

今度は優しく諭すような口調で訊ねた。

「ございます。いえ、ございました。が、女子は家を出てから後は、お仕えする殿の好みに染まるよう、常に名を捨てるものと母から教えられて参りました。それ故、今は名がございませぬ。どうか、お気を悪くなされませぬように」

女の細面に初めて紅が散った。

「生まれは？」

「丹波にございまする」

「丹波といっても広い。どの辺りじゃ」

「小野原の四斗谷《しとだに》川沿いにある立杭《たちくい》という集落にございます」

「ほう、あの赤土部《あかどべ》焼の産地か」

使っている水差しに、丹波の無骨な焼き物があったのを思い出した。

「つまり、そなたの家は陶工か」

「はい、今も祖父は焼き物で生計《たずき》を営んでおります。壺屋惣兵衛と申します」

丹波の「丹」は、焼き物の「あか」を意味する。丹波のあかを代表するのが赤土《あかど》部《べ》釉《ゆう》の焼き物である。壺や甕《かめ》、徳利を得意とする産地だが、文様が地味で、陶土の粗さから茶碗がほとんど焼かれない。そのため、利休などの茶人には、全く無視された存在であった。

ちなみに、丹波焼の茶陶が再評価されるのは、小堀政一（遠州）が、武将茶人として登場する元和《げんな》以降である。

「だが、残念ながら、拙者は丹波そのものに足を踏み入れたことがないのでな。立杭と聞いても、名だけで土地勘が全く働かぬ。まして、その丹波の女子が、家を出るとそのように名を捨てよ、と親に教えられるとは、初めて聞いた」

「いえ、それは丹波の教えではありませぬ。わらわの母だけのようでございます。まこと、おかしげなことを教える母でございました」

おかしげな、と言いながら、それでも懐かしむ風情をちらりと見せた。そんな母に慈愛深く育てられた娘に違いない。素姓は悪くなさそうだった。牛一の煩わしい気持ちが、ちょっぴりほぐれた。

「いや、好もしい母者よな、男にとっては」

男から貰った名前で生きるなら、さぞ献身的に仕える女になろう。

「お褒めに与《あずか》り、嬉しゅうございます。でも、おいやでございますか。名なしの女は」

女はかすかに微笑んだ。

「そうは思わぬが、不便には違いない」牛一は苦笑した。

「では、改めてお名を下さいませ」女はここで深々と平伏した。

牛一は生まれた子供に名をつけたことはあるが、成年の女の名を付けるのは初めてである。ぐっと詰まった末に、

「長康殿のもとでは、何と呼ばれた」

軽い気持ちで訊ねたが、女には残酷な問いだったようだ。

「そこでの名は、長康様と共に忘れとうございます。どうぞ、ご勘弁くださいませ」

白い項《うなじ》が左右に激しく揺れ、強い拒否の姿勢が跳ね返ってきた。

「済まぬ。心ない問いだったようだな」

「いえ、勝手なお願いは、わらわのほうで」女は硬い表情のまま、小さく頭を下げた。

しばらく黙考した末、牛一は、おもむろに言った。

「では、紗耶《さや》と呼ばせてもらおう」

「さや？　でございますか」女は真っ直ぐに、訝《いぶか》しげに牛一を見た。

「娘の名じゃ。十二の時、流行病《はやり》で失った。そなたに似た美しい娘であったが」

「殿さまの娘さまのお名を頂戴するのですか？」

顔を上げた女の肩が微かに揺れた。瞳に一瞬、安堵とも落胆ともつかぬ色が見えたように思ったが、牛一は気づかぬ振りで続けた。

「今夜は、隣の寝所に拙者の万年床がある。そこで仮寝するがよい。拙者は、今宵は徹宵《てつしょう》して書き物をするから、心おきなく伏せよ。明日からは、この春まで婆のいた納戸が空いている。そこを片付けて、以後は寝起きされよ。婆の寝具は捨てたので、改めて明日にも新調しよう。そなたは、一日二食の世話だけしてくれれば、それでよい。庭の手入れ、水仕の下働きには、通いの下男と下女が来るので、そこまですることはない。後は気儘《きまま》にしてよい。もっとも、拙者は気の向くままに起きて書き物をして、寝たい時に寝るから、食事時が不定じゃ。それだけは気を遣わせることになろうが、いつでも隣の部屋に膳の用意だけして置いてくれれば済む。勝手に起き、勝手な時に食らうからの」

そのまま書机へ向き直った。

命じた通り、翌朝から書斎の隣室には、きちんと一日三食の膳が用意された。膳部は一食目が一汁二菜、二食目が一汁三菜。季節の野菜一品の他は山菜、川魚の煮付けが中心の質素なものだが、味は申し分なかった。

最初は執筆に夢中で、これまでのように、搔っ込むように食って書机に戻るだけだったが、十日ほど経って牛一は、はたと気づいた。

牛一がいつ寝て、いつ起きても、膳はそれを見越すように用意されており、汁まで温かい。しかも、紗耶はいつも唐紙一枚外の土間に衣服を整えて、じっと控えていた。

「そなたは一体いつ寝て、いつ起きる」

不審に思って唐紙越しに訊ねた。

「はい、殿様と時を合わせるように寝て、そして起きまする……」

「どうして隣室で唐紙越しに拙者の執筆と寝起きの時が分かる……申してみよ」

「殿様のお部屋での動き、襖を漏れる紙の音、灯火《とうか》の揺れ、微かな風の動きなどを、こちらに控えてじっと……」

「納戸には戻らぬのか。それでは、そなた、横になって眠れまい」

「座ったままで十分でございます。紗耶は、ここでは横になりませぬ」

（それで分かった）と牛一は思った。ここに連れてこられた最初の夜、隣の寝所の臥床《ふしど》を貸し与えたが、使った跡がなかった。

「しかし、それでは身体に悪かろう」

「いえ。慣れております」

「いや、無理をせぬことじゃ。拙者も、若い時は戦場で、前に具足を置き、柴や萱《かや》の葉の上で何夜も座ったまま眠ったものじゃ。だが、家に帰った後は、大の字になって、死んだように二日も三日も眠り転げたものだ」

そこで打ち切ったが、牛一は内心ぎくりとした。

（この女、元は忍びかも知れぬ）

微かな疑惑が浮かんだ。ただの前野の侍女なら、ここまで太閤に追われるはずがない。思い直してからは、食事時には努めて側に紗耶を侍《はべ》らせ、執筆の間は、紗耶に納戸へ去るように命じた。

ある朝、何げなく訊ねた。

「そなた、永禄の桶狭間山の合戦では、何歳になっていたかの」

「まだ、生まれてはおりませぬ」

紗耶はくすっと笑った。桶狭間山の合戦は三十七年前である。

「そうか。そうだな、年齢が合わぬか。それでは、桶狭間山の合戦は全く知らぬな」

「いいえ、母からは何度となく聞かされ、話だけは知っております」

「ほう、母者がのう、何故じゃ。母者は丹波の女であろうが？」

丹波の女と、遠い桶狭間山の接点が、牛一には理解できなかった。

「母は若い頃前野家にお仕えする侍女でございました。その時、前野様のご命令で、桶狭間山近くの急拵《ごしら》えの掛茶屋で、お茶汲みをしていたそうにございます」

「何？　桶狭間山に急拵えに作った掛茶屋だと」

牛一は手に持っていた箸を落としそうになった。

前野家には丹波出身者が多かった。その一人だったのであろうか。

「ほう、茶汲みをな。で、その茶屋は何のためのものじゃ」

「分かりませぬ。ただ、母は長康様から、今からここで大事な密談があるゆえ、おおさ怠りなく控えておれと、朝から言われていたそうにございます」

「密談？」

「はい。あの日、母が茶屋に控えておりましたところ、やがて殿様風の、小柄だが丸々とお太りになったお方が、大勢の部下を引き連れてお駕籠《かご》でお着きになり、折りからの激しい風雨を避けるようにして、用意されていた、葦簀《よしず》張りの掛茶屋にお入りになり……」

「一人でか？」

もし殿様なら、そんな単独行動は有り得ない、と、口まで出かかったが、女の言葉を待った。

「いいえ、茶屋には十人ほどの屈強なお侍さまも続いてお入りになり、間もなく今度は別のお忍び姿の長身のお武家さまが、これも数人のお供を連れて、こちらはいずれも無刀のお姿で、その後に続かれましたそうにございます。そのお供の中に、一際小柄な、ましらのような男がおられて……」

「まさか、それが木下藤吉郎だというのではあるまいの」

「木下様、後の羽柴様に間違いない、と母は生前申しました」

「では、その長身の武士は、織田信長さまか。そんな風雨の中で、よくそのようなことが分かったの」

牛一は苦笑いしながら聞いた。

「母は、間違いなくそれが信長さまだったと、幼い頃、私に話してくれましたが」

「愚かな、信長さまがそんな所で義元と会うなどということ、あろうはずがない。そなたの母の思い違いじゃ、全くの」

取り上げるほどの筋の話ではないと、ここで話題を打ち切った。

以後の牛一は、不規則だった執筆の時間を早朝から夜半までに改め、努めて途中食事の時間を割くようにした。お蔭で食事も美味くなり、体調が良くなった。それでも『信長前記』の執筆は『信長記』のようには進まなかった。

集めてあった史料不足、史料解釈への疑問、史料間の矛盾が次々に生じ、牛一は何度も一人で腹を立て、筆を放り出した。いっそのこと、書くのを諦めようと思うほどだった。

吉法師の五歳から七歳頃、父・信秀の居城であった古渡城《ふるわたり》に奉公していたと称する老婆の証言がある。源兵衛が聞き取ったものだ。

――吉法師様には本当に手古摺《てこず》りました。不思議なお子で、時々、行方が分からなくなるのです。その度に、私どもは城のあちこちを探しました。大抵は城を抜け出して、近所の河原に出て、木登りや水泳ぎをなさっておられました。しかし、それでも行方の分からない時がありました。その時は、必ず遺緒所《いしょ》（衣装管理所）を探しました。すると、そこで女衣装を纏い、市女笠《いちめがさ》を被って寝ておられました。女衣装の匂いを嗅ぐのも好まれました。くんくんと、犬のように匂いを嗅がれるのです。誰もが気味悪がりました――

この解釈に、牛一は困惑した。結局は、この証言を元にした記述を諦めた。清々しい吉法師の映像には相応しくない。

信長さまが十八歳の頃に下級武士として仕えていたという古老の証言。これは、牛一が直接に清洲に行った時に得たものである。

――父君の信秀公の亡くなられたのは、天文二十年ではございませぬ。その三年前、信長さまが美濃の斎藤道三様の息女濃様を貰われた直後のことでございます。死因は腹上死だと聞いております。この跡継ぎ争いが、信長さまと信行様の間で起き、やむなく三年間、喪を伏せたのでございます――

――信長さまが父上のご葬儀に乱暴をされたというのは事実ですが、事情は違います。夫の死を三年間伏せた土田御前様が、信長さまに告げずに、ある日、信行様一派だけで密かに葬儀を挙行なされました。葬儀を主宰することで、跡継ぎの立場を鮮明にしたいという思惑だったのでございましょう。それを河原遊びの最中に知った信長さまが、急遽そのままのお姿で葬儀の場においでになり、いきなり抹香を摑んで母君に向かってお投げになったのを、何も知らない世間の者が、信長さまは父君のご位牌に抹香を投げ付けるような大空《うつ》け者よ、と罵っただけでございます。私どもは、こうした事情を知っておりましたから、陰ながらお気の毒に思っておりました――

――傅役《おもりやく》の平手政秀様のご自害は、信長さま御二十歳の時でございますから、今さら殿の不行儀をお諫めするためのわけはありませぬ。信長さまに世継ぎの資質なし、とする母君・土田御前様と信行様一派に対する死の抗議だったというのが、専らの噂だったと記憶しております――

――弘治三年の信行様殺害の件でございますか。さて、我々下々には、平手様のことよりもっと分かりかねることでございます。ただ、当時の世間の噂では、生駒屋敷に住まわれていた側室・吉乃様との間にお生まれになった奇妙《きみよう》様（後の信忠）

が、お生まれ早々に何者かに襲われたことを、信行様派の犯行とご判断になった信長さまが、報復として殺害なされたと聞いております。もっとも、この襲撃事件そのものが、信長派のでっち上げで、そのような事実はなかったとの話もあり、よくは分かりません。当時、織田家の家督争いの勢力関係は、信行様派が七割、信長さま派が三割であったことは間違いありません。信長さまは全く家臣に信望がありませんでした――

これらの証言を聞き取るために、銀十数粒を払った記憶がある。かなり重大な証言であり、価値もあると思ったからである。

だが、今『信長前記』として纏めようとした時、牛一は躊躇した。これを記述し出せば、織田家の内部抗争の事情にまで更に深く立ち入らなくてはならない。際限《きり》がなかったし、そうした家系の抗争史は、どんな伝記にも、ざらにある。

（お屋形さまのご幼少は、型破りの餓鬼大将。それでいて、きらりと光る物のある吉法師様であって欲しい。そう描きたい。青年信長は凜々しく、爽やかな武将の卵だったと信じたい）

多年に亙って頭で描き続けた信長さまの映像がどうしても先に立つ。理想の映像をつまらない後継抗争史で汚したくなかった。

後ろめたい気がしたが、牛一はこれらの証言の悉《ことごと》くを、自分の著作では切り捨てた。こうして『信長前記』には、面白可笑しい信長さまの天衣無縫な映像のみを書くに留めた。そのため『信長前記』は予想以上に短いものになってしまった。巻立てで書くまでもなくなり、当然、『信長前記』と称するには不足した。

（では何という名で追加すべきか。序にしては長すぎる。かといって、別巻では目立ち過ぎる。目立たないが、それでいて本当は、著者はこちらが書きたかったのだという意味が滲《にじ》み出るような表題はないか）あれこれ考えたが、いい案が浮かばなかった。

苛立《いらだ》つ牛一の心を慰めたのは、紗耶の語る丹波の思い出だった。桶狭間山の話を別にすれば、家業の窯元の話は、牛一の知らない別世界の話だけに新鮮だった。

紗耶の祖父・壺屋惣兵衛は、立杭に十代続く丹波の窯元だという。四人の息子の内の三人は武士を志し、八上城の波多野家に仕えたが、丹波の内部抗争と、明智光秀の丹波乱入の末に、相次いで討死にした。末弟だけは、病弱もあって、若い頃から武士を諦め、京の寺で修行していたために生き残った。その末弟が十数年前、突然、寺を飛び出して帰郷。今は祖父と共に家業に勤《いそ》しんでいるという。

（これまで、数多くの壺や皿を見たが、窯元を親しく訪ねたことがない。是非とも、

紗耶の故郷を見たい）

　そんな気があるため、ついつい会話が長引き、次の食事が待ち遠しくなった。

（いい年齢をして、若い女の話を聞きたがるとは、俺も焼きが廻ったか）心中で自嘲しながら、なお、紗耶を食膳に侍らせ、会話を楽しんだ。それがまた、その後の執筆意欲を募らせた。

　こうして慶長二年は、あっという間に過ぎた。

　翌三年二月、牛一は予定を一カ月繰り上げ、密かに差し込む予定の『信長前記』一巻を脱稿した。そこで、何食わぬ顔で『信長記』十五巻が初めて完成したように伏見城に手紙で連絡し、納本の日取りの調整を依頼した。

　大山伯耆守《ほうきのかみ》は、あたふたと駆けつけてくれた。満面に笑みを湛えた伯耆守は、ここで意外な話を持ち込んだ。

「和泉守殿、喜んでくれ。貴殿の御著書の完成を、治部殿にお伝えすると、治部殿は大層な喜びようでの。そうか、それでは来る弥生十五日に挙行する太閤殿下の醍醐の花見へ、貴殿をお招きできるな、ということに急遽、なり申した。執筆が終わっていなければ却《かえ》って迷惑になるかも知れぬと、最後まで治部殿も迷った末のことじゃ。よかったのう、これ以上の光栄はござらぬぞ」

「ほう、治部殿が拙者を花見に招くと」

治部は自分の著作料に金十枚を加算してくれた。その義理はあるが、花見の話は気が進まなかった。今更この年齢で花見でもあるまい。

しかし、伯耆守は、初めから牛一が来るものと決め込んでいた。

「何しろ、この花見は太閤殿下の一世一代、空前絶後の行事となるはずじゃ。今回は招聘者もごく限られておる。悪いことは言わぬ。話の種じゃと思って、是非お受けなされ。弥生十二日には伏見入りしたほうがよかろう。勿論お迎えに出る予定じゃが、その頃は、この行事のことであれこれ多忙ゆえ、あるいは失礼するやも知れぬ」

「迎えなどは要らぬ。そのほうがこちらも気が張らずに済むゆえの」

（話の種）という言葉に引きずられ、気が付いた時は、行く話のほうに乗っていた。

「そうか、そう言って下さると助かる」

伯耆守は独り合点で話を進めた。

「ともかく、この花見も盛大なら、その警護も、それはそれは大仰なものでの。それで、治部殿以下、拙者らまで頭を痛めている。その頃は、忙しくて目が回るじゃろうて」

口では、こぼしながら、目元は笑っていた。

「こたびは、それほどの警護が必要か」それなら一見の価値もあろう。持ち前の好奇心が、微かに動いた。

「これは、御招聘者のご安心のためとして申し上げるのだが」

伯耆守の明らかにした警護の内容は驚くべきものだった。

会場周辺、五十町四方の醍醐の山々に、弓・槍・鉄炮などを装備させた二十三カ所の警護所を設ける。伏見城から花見の場所までの道筋は、小姓・馬廻衆が警護し、道際には木柵を張り巡らし、一切の乱入者を許さない。特に会場は砦《とりで》同様とし、見物衆は入ることができず、全て高柵と虎落《もがり》で幾十にも構える。動員する警護者の数は総計三万人といった。

「それほどの警護が必要とはな」お屋形さまの葬式以来の物々しさではないか。呆れたというより、気の毒に思った。そこまで気遣わなくてはいけないのでは、いくら桜花を愛でても心は安まらなかろう。自分ならそう思う。だが、天下人ともなると、そうでもないらしい。

「十年前の北野の大茶会の例もある、と治部殿は言われておる。拙者は、その頃、まだ豊臣家にお仕えしていないので、よくは知らぬが、貴殿はご存じでござろう」

「天正十五年の件《くだん》の茶会は、最初から公開でござった。場所は北野松原。期間は十月朔日《さくじつ》から十日間。希望者は、貴賤貧富に拘《かかわ》らず、百姓、町人も異国人も、釜一つ、茶碗一つ持って参加せよ、ということで、集まった民衆は千人を遥かに超えましたな。秀吉様は、利休、宗久、宗及ら堺の茶人を従え、自ら諸処の茶室を巡《まわ》り、茶を点《た》てて廻られた」

その頃の秀吉には、牛一も舌を巻くような闊達《かったつ》さがあった。

「だが、十日の予定を一日で切り上げたと、治部殿は申される。まこと、そうだったのか」

「確かに。肥後に国人衆の反乱が起こり、佐々成政が苦戦中。その分派が、北野にも上洛しているはずだとの報告を受けて、急遽、一日で取りやめたことは確かだ。その程度のことでそこまで騒がなくてもいいのに、と拙者などは思ったが。こたびはその頃より、太閤は敵が多いということかな」

それにしても、三万人の警護の下でやる花見とは、何であろうか。この世の名残と、老醜を晒《さら》す太閤ではないのか。

（しかし、それを見るのも、また一興か）牛一は、冷ややかな思いで参加を決めた。

「お招き、喜んでお受けしよう。何なら、筆に矢立を持参で参ろう。治部殿も、もしかすると、この記録取りを、拙者に望んでおられるのではないかな」

「いやあ」伯耆守は大袈裟に額を叩いて笑った。

「実はそうなのだ。大著のご執筆でお疲れのところなので、言い出しにくかったのだが、治部殿の言うのには、この醍醐の花見、太田和泉守以外に記述の名文家はいない。できれば、あの『大かうさまくんき』の末尾に加筆した形にしていただきたい。これを是非にも枉《ま》げてご承知戴いてこい、とのご命令なのじゃ。もちろん、十分な加筆料はご用意させて戴くと言っておられる。やれやれ、和泉殿のほうから言い出して下されたので、拙者の肩の荷が下りた。本心は、貴殿に断られたらどうしようと、気が気でなかったのじゃ」

　素直に喜んでいる。

「それこそ、伯耆守殿と拙者の仲、他人行儀というものじゃ。承知致したとお伝えください」

　この程度の奉仕は、治部のためでなく、伯耆守のためと割り切ろう、と思った。

「これでよしと。あとはこの行事、無事に終わらせることじゃ。どうやら治部殿の元には、伊賀、雑賀《さいか》などの不穏な動静の報告が来ているらしい。我ら、まだ心は安まらぬ」

最後は寂しそうな笑いを残して伯耆守は席を辞した。肝心の『信長記』の納本は、この醍醐の花見の後、太閤の疲れ休みを考慮し、三月下旬と決めた。

三月十一日、牛一は隠居所を出た。約束どおり、大山伯耆守の迎えを求めなかった。連絡は京伏見に着いてから、町中の指定された宿で行うつもりだった。

見送る紗耶には、出掛けにそっと言い残した。

「三日ほどで戻る予定じゃ。醍醐の花見の警護で、この辺りまで、太閤の探索が延びるやも知れぬ。用心のため、他人に見られぬよう入口を閉じ、裏口から出入りせよ。達者で待っておれ。よいな」

「三日……三日でございますね。畏《かしこ》まりましてございます。ご無事のお帰りを、心からお待ち申し上げております」

紗耶は深々と頭をさげた。

（下巻につづく）

単行本　二〇〇五年五月　日本経済新聞社刊
文庫化にあたり、上下巻に分冊しました。

文春文庫

信《のぶ》長《なが》の棺《ひつぎ》上

定価はカバーに
表示してあります

2008年9月10日　第1刷

著者　加《か》藤《とう》廣《ひろし》

発行者　村上和宏

発行所　株式会社　文藝春秋

東京都千代田区紀尾井町3-23　〒102-8008
TEL 03・3265・1211
文藝春秋ホームページ　http://www.bunshun.co.jp
文春ウェブ文庫　http://www.bunshunplaza.com

落丁、乱丁本は、お手数ですが小社製作部宛お送り下さい。送料小社負担でお取替致します。

印刷・凸版印刷　製本・加藤製本

Printed in Japan
ISBN978-4-16-775401-3

時代小説

（　）内は解説者。品切の節はご容赦下さい。

泡坂妻夫
朱房の鷹 宝引の辰 捕者帳

将軍様の鷹が殺された。ご公儀の威光を笠にきた鷹匠に対する庶民の恨みと思いきや……。表題作ほか「笠秋草」「面影蛍」など全八篇。江戸情緒満載の人気捕者帳！（寺田博）

あ-13-11

泡坂妻夫
鳥居の赤兵衛 宝引の辰 捕者帳

大盗賊が活躍する読本「鳥居の赤兵衛」が、貸本屋の急死と同時に紛失。続きが読みたい清元の師匠・閑太夫《かんだゆう》は読本の行方を追うが……。お馴染み辰親分の胸のすく名推理。（末國善己）

あ-13-13

泡坂妻夫
写楽百面相

寛政の改革下の江戸の人々を衝撃的な役者絵が魅了した。謎の絵師・写楽の正体を追う主人公は、やがて幕府と禁裏を揺るがす妖しの大事件に巻き込まれ――傑作時代長篇推理。（縄田一男）

あ-13-12

浅田次郎
壬生義士伝《みぶぎしでん》（上下）

「死にたぐねえから、人を斬るのす」――生活苦から南部藩を脱藩し、壬生《みぶ》浪と呼ばれた新選組の中にあって人の道を見失わなかった吉村貫一郎。その生涯と妻子の数奇な運命。（久世光彦）

あ-39-2

秋山香乃《かの》
歳三 往きてまた

鳥羽・伏見の戦いで新式装備の薩長軍になす術もなく敗れた歳三は、その後も東北各地で戦い続け、とうとう最果ての地・箱館にたどり着く。旧幕府軍最後の戦いに臨んだ歳三が見たものは。

あ-44-1

秋山香乃
新選組藤堂平助

江戸の道場仲間と共に京へ上り、新選組八番隊長でありながら、新選組を離脱、御陵衛士として、その新選組に油小路で惨殺された北辰一刀流の遣い手・藤堂平助の短い半生を赤裸々に描く。

あ-44-2

（　）内は解説者。品切の節はご容赦下さい。

岩井三四二《みよじ》
月《つき》ノ《の》浦《うら》惣庄《そうしょう》公事《くじ》置書《おきがき》

室町時代の末、近江の湖北地方。隣村との土地をめぐる争いに公事（裁判）で決着をつけるべく京に上った月ノ浦の村民たち。その争いの行方は……。第十回松本清張賞受賞作。（縄田一男）

い-61-1

岩井三四二
十楽《じゅうらく》の夢

戦国時代末期、一向宗を信じ、独自に自治を貫いてきた地・伊勢長島は、尾張で急速に勢力を伸ばしてきた織田信長の猛烈な脅威に晒される。果たしてこの地を守り抜くことが出来るのか。

い-61-2

宇江佐真理
幻の声
髪結い伊三次捕物余話

町方同心の下で働く伊三次は、事件を追って今日も東奔西走。江戸庶民のきめ細かな人間関係を描き、現代を感じさせる珠玉の五話。選考委員絶賛のオール讀物新人賞受賞作。（常盤新平）

う-11-1

宇江佐真理
紫紺のつばめ
髪結い伊三次捕物余話

伊勢屋忠兵衛からの申し出に揺れるお文。伊三次との心の隙間は広がるばかり。そんな時、伊三次に殺しの嫌疑が。法では裁けぬ人の心を描く人気捕物帖、波瀾の第二弾。（中村橋之助）

う-11-2

宇江佐真理
さらば深川
髪結い伊三次捕物余話

伊三次と縒りを戻したお文に執着する伊勢屋忠兵衛。袖にされた意趣返しが事件を招き、お文の家は炎上した——。断ち切れぬしがらみ、名のりあえない母娘の切なさ……急展開の第三弾。

う-11-3

宇江佐真理
さんだらぼっち
髪結い伊三次捕物余話

芸者をやめ、茅場町の裏店で伊三次と暮らし始めたお文。念願の女房暮らしだったが、子供を折檻する近所の女房と諍いになり、長屋を出る。人気の捕物帖シリーズ第四弾。（梓澤要）

う-11-5

（　）内は解説者。品切の節はご容赦下さい。

宇江佐真理
黒く塗れ
髪結い伊三次捕物余話

お文は身重を隠し、お座敷を続けていた。伊三次は懐に余裕がなく、お文の子が逆子で心配事が増えた。伊三次を巡る人々に幸あれと願わずにいられぬ、人気シリーズ第五弾。（竹添敦子）

う-11-6

宇江佐真理
君を乗せる舟
髪結い伊三次捕物余話

不破友之進の息子が元服して見習い同心・龍之進に。朋輩とともに「八丁堀純情派」を結成した龍之進に「本所無頼派」の影が立ちはだかる。髪結い伊三次捕物余話第六弾。（諸田玲子）

う-11-8

宇江佐真理
余寒の雪

女剣士として身を立てることを夢見る知佐は、江戸で何かを見つけることができるのか。武士から町人まで人情を細やかに描く七篇。中山義秀文学賞受賞の傑作時代小説集。（中村彰彦）

う-11-4

宇江佐真理
桜花《さくら》を見た

隠し子の英助が父に願い出たこととは。刺青判官遠山景元と落し胤《だね》との生涯一度の出会いを描いた表題作ほか、蠣崎波響など実在の人物に材をとった時代小説集。（山本博文）

う-11-7

内館牧子
転がしお銀

公金横領の濡れ衣で切腹した兄の仇を探すため、東北の高代から江戸へ出て、町人になりすますお銀親子。住み着いた下町のオンボロ長屋に時ならぬ妖怪が現れ、上を下への大騒ぎ……。

う-16-2

乙川優三郎
椿山

城下の子弟が集う私塾で知った身分の不条理、恋と友情の軋み。下級武士の子・才次郎は、ある決意を固める。生きることの切なさを清冽に描く表題作など、珠玉の四篇を収録。（縄田一男）

お-27-1

文春文庫

時代小説

（　）内は解説者。品切の節はご容赦下さい。

生きる
乙川優三郎

亡き藩主への忠誠を示す「追腹」を禁じられ、白眼視されながらも生き続ける初老の武士。懊悩の果てに得る人間の強さを格調高く描いた感動の直木賞受賞作他、二篇を収録。（縄田一男）

お-27-2

冬の標《しるべ》
乙川優三郎

維新前夜。封建の世のあらゆるしがらみを乗り越えて、南画の世界に打ち込んだ一人の武家の女性。真の自由を求めて葛藤し成長する姿を描ききった感動の長篇時代小説。（川本三郎）

お-27-3

恋忘れ草
北原亞以子

女浄瑠璃、手習いの師匠、料理屋の女将など江戸の町を彩るキャリアウーマンたちの心模様を描く直木賞受賞作。「恋風」「男の八分」「後姿」「恋知らず」「萌えいずる時」他一篇。（藤田昌司）

き-16-1

昨日の恋　爽太捕物帖
北原亞以子

鰻屋「十三川」の若旦那爽太には、同心朝田主馬から十手を預かるという別の顔があった。表題作のほか「おろくの恋」「雲間の出来事」「残り火」「終りのない階段」など全七篇。（細谷正充）

き-16-2

埋もれ火
北原亞以子

去っていった男、残された女。維新後も龍馬の妻として生きたお龍。三味線を抱いて高杉晋作の墓守を続けるうの。幕末の世を駆け抜けて行った志士を愛した女たちの胸に燻る恋心の行く末。

き-16-4

妻恋坂
北原亞以子

人妻、料理屋の女将、私娼、大店の旦那の囲われ者、居酒屋の女主人など、江戸の世を懸命に生きる女たちの哀しさ、痛ましさを艶やかに描いた著者会心の短篇全八作を収録。（竹内誠）

き-16-5